PETITE CHRONIQUE
DU RIDICULE

CHARLES DE PEYSSONNEL

PETITE CHRONIQUE DU RIDICULE

Les Français ont-ils changé depuis 1782 ?

Édition établie, présentée et annotée
par Mario Pasa

Payot

*Retrouvez l'ensemble des parutions
des Éditions Payot & Rivages sur*
www.payot-rivages.fr

Présentation

L'histoire de cette joyeuse entreprise d'édition commence avec la lecture d'un volume de huit centimètres sur douze publié sans nom d'auteur en 1785 et portant un titre singulier : *L'Antiradoteur ou le Petit Philosophe moderne* [1]. Depuis plusieurs années, il niche avec d'autres de sa taille, et même de bien plus menus, dans l'antique bibliothèque vitrée d'un particulier. Sur des étagères interdites aux moins de cent quatre-vingts ans, tous coulent une vieillesse heureuse. En guise de Botox, ils sont régulièrement traités à la cire 213 recommandée par la Bibliothèque nationale de France. On évite cependant de trop les manipuler : si bien conservés soient-ils, ces ouvrages ont la peau

1. « À Londres, chez Emsley », lit-on sur la page de titre. À Paris, chez Royez, précise Antoine Alexandre Barbier (voir note 9, p. 13).

fragile et connaissent quelques problèmes d'articulations.

Pourtant ils ne reposent pas dans leur meuble en bois noirci telles des momies. Dépositaires de chefs-d'œuvre ou de simples curiosités littéraires, tous sont encore très diserts, et il n'est même pas nécessaire de se plonger dans leurs pages pour savourer une langue si délicieusement parfaite qu'elle ferait chavirer le cœur des adeptes de pratiques SMS et autres fétichistes du texto : il suffit de contempler ces petits volumes du dehors pour les entendre bavarder. Ils ont l'éloquence muette des objets précieux qui passent d'un propriétaire à un autre et voient se succéder plusieurs vies humaines. Ils prodiguent une bienveillance d'ancêtres chaque fois qu'un regard croise leurs reliures et qu'on lève le nez d'ouvrages fraîchement publiés, eux, mais pas aussi coquets ni aussi spirituels que ces vieux compagnons serrés les uns contre les autres sur leurs étagères.

De temps en temps, on ne résiste quand même pas à la tentation d'en ouvrir un précautionneusement, surtout si l'œuvre est inconnue et donc indisponible en édition courante. Voilà comment *L'Antiradoteur ou le Petit Philosophe moderne*, acquis il y a longtemps pour la singularité de son titre mais rangé aussitôt avec d'autres achats de livres anciens, s'est vu tiré de sa retraite un jour de lecture contemporaine particulièrement ennuyeuse. L'« Avis de l'Éditeur » annonçait qu'il s'agissait d'une réédition abrégée et distillait quelques informations insolites pour une amorce d'enquête sur l'auteur :

« Cet ouvrage a déjà paru sous un titre assez vague, *Les Numéros* ; il a eu quelque succès, malgré le désordre qui se trouvait dans la distribution des matières, et beaucoup de redites ou d'inutilités. On a remédié à l'un et à l'autre de ces inconvénients dans l'édition qu'on en donne aujourd'hui. [...] L'auteur a dit dans une préface qu'il avait jeté ses idées sans ordre, sans suite, pour lui seul et pour ses amis ; il a mis sans doute de ce nombre le public, qui lui en a su quelque gré. "J'ai écrit librement, ajoute-t-il, sur les abus, les vices, les défauts et les ridicules qui m'ont frappé[2]." »

De prime abord il semblait très sympathique, cet anonyme soi-disant brouillon, et au fil des pages le fantôme sans identité se révéla plein de bon sens et d'humour pour décrire les mœurs de son temps. S'il y avait quelque « désordre » dans ses propos, c'est qu'on avait l'impression de l'entendre s'exprimer spontanément au cours d'une conversation chaleureuse où, en effet, le radotage n'avait pas sa place. Il méritait d'autant

---

2. *L'Antiradoteur ou le Petit Philosophe moderne*, p. V-VI.

plus le sous-titre de *Petit Philosophe moderne* qu'en bien des passages son œil perçant et amusé semblait avoir traversé le temps pour scruter nos concitoyens de ce début de XXIe siècle, pas si différents des citadins français de la fin du XVIIIe.

Cette impression se confirma lorsqu'il fallut explorer le corpus plus large dont *L'Antiradoteur* n'était que la réédition partielle[3]. Ce titre antérieur, *Les Numéros*[4], fut consulté cette fois dans une bibliothèque parisienne avant qu'on en découvre un exemplaire chez un libraire... de Bruxelles. Toujours pas de nom d'auteur pour ce livre en quatre parties : les deux premières avaient paru en 1782, la troisième s'y était ajoutée en 1783, la quatrième en 1784 – soit trois éditions en trois ans et un certain succès pour une œuvre que plus personne ne cite aujourd'hui, même dans sa version *Antiradoteur* de 1785[5].

On a puisé à notre tour dans *Les Numéros* pour en retenir vingt et un chapitres particulièrement savoureux sous le titre inédit de *Petite Chronique du ridicule*[6]. On a renoncé à certains

---

3. Avec vingt-huit chapitres sur cinquante-sept.

4. « À Amsterdam ; et se trouve à Paris, rue et hôtel Serpente [chez Gaspard Joseph Cuchet]. »

5. Alphonse Karr s'en serait pourtant inspiré dans la revue satirique qu'il publia à partir de 1839, *Les Guêpes*.

6. Neuf de ces « numéros » n'avaient pas été repris dans *L'Antiradoteur* et l'on s'est autorisé à leur donner des titres

thèmes datés comme le défrichement ou le mesmérisme afin de laisser éclater les couleurs de la peinture de caractères. Celle-ci instruira le lecteur sur les dernières années de l'Ancien Régime tout en lui évoquant la société de consommation dans laquelle il vit deux bons siècles plus tard : ce qui est vrai des Parisiens de 1782 ne l'est-il pas des Français d'aujourd'hui et plus généralement des Occidentaux ? Avec en poche cette « critique délicate des ridicules qui nous environnent et qui ne sont aperçus que de l'homme observateur[7] », on aura tout le loisir, au sens le plus ludique du terme, de méditer sur la pérennité du culte de l'ostentation, sur le comique de la « culture des apparences », quelle qu'en soit l'époque.

Certes, les dix-huitiémistes rangeront un tel recueil dans la « littérature de témoignage », mais ce terme presque technique est bien froid pour honorer comme il se doit un auteur qui nous délecte de sa prose épicée sur les citadins dans leurs maisons de campagne, la folie immobilière et les embouteillages à Paris, l'amour des

(entre crochets) ; aux autres on a laissé les titres qui leur avaient été attribués en 1785 dans ce même *Antiradoteur*. Sur les références précises de la présente édition, voir *infra*, p. 177-178.

7. *Les Numéros, op. cit.*, 3ᵉ édition, « Avis de l'Éditeur », Quatrième Partie, p. V.

chiens et du luxe, la consommation excessive de café, les déboires du courtisan, les fautes d'orthographe, la folie des modes, la surproduction de livres inutiles ou encore les désirs immodérés...

À dire vrai, on se fait si rapidement un ami de ce mystérieux narrateur qu'au terme d'une lecture aussi amusante et roborative on déplore que les présentations n'aient pas été faites dans les règles. Lui-même, au tout début de ses *Numéros*, revendique l'anonymat avec beaucoup d'élégance tout en s'adressant aux générations futures, donc à nous :

« J'écris par désœuvrement ; je prends la plume quand elle m'amuse ; je la quitte quand elle m'ennuie. [...] Je n'ai pas la plus petite intention de faire un livre. Si quelque jour mes feuilles accumulées en forment un, il deviendra ce qu'il pourra ; s'il voit le jour, il sera anonyme. Ainsi, son sort m'intéresse peu. Dans l'incognito, je ne puis être ni flatté des applaudissements, ni humilié des critiques. Si mon travail produit quelque fruit, je n'en saurai rien ; personne ne me le dira, et je mourrai avant de m'en être aperçu. Les livres de leçons, de préceptes, de maximes ressemblent aux palmiers : leur fruit est tardif et n'est jamais cueilli par la même main qui les a plantés [8]. »

---

8. *Les Numéros, op. cit.*, Première Partie, p. 3-5.

Un auteur qui assure ne pas vouloir faire de livre et ne pas rechercher la gloire... Fausse modestie, peur de la censure ou authentique sincérité d'un honnête homme qui rejette pour lui-même ces vanités qu'il raille chez les autres ? La Bruyère a dit dans ses *Caractères* que « l'on ne peut se passer de ce même monde que l'on n'aime point, et dont l'on se moque », mais, quoi qu'il en soit, après plus de deux cent vingt ans il y a prescription, et c'est bien la raison pour laquelle on ne laissera pas le lecteur d'aujourd'hui cueillir les fruit tardifs de cette *Petite Chronique du ridicule* sans lui avoir révélé l'identité du rédacteur : Charles de Peyssonnel, né à Marseille en juillet 1727 et mort à Paris en mai 1790 [9].

Du côté paternel, il appartenait à une vieille famille de médecins marseillais d'origine napolitaine. Son grand-père avait courageusement

---

9. Sur l'attribution des *Numéros* et de *L'Antiradoteur*, voir : Antoine Alexandre Barbier, *Dictionnaire des ouvrages anonymes* [1806-1809], 3ᵉ édition revue et augmentée, 4 volumes, Paris, 1872-1879, t. I, p. 223, et t. III, p. 589 ; Paul Lacombe, *Bibliographie parisienne. Tableaux de mœurs (1600-1880)*, Paris, 1887, p. 38 (nº 242) et p. 41 (nº 257).

On rencontre parfois Peyssonnel sous les prénoms de Claude Charles, mais c'est le seul Charles qui est retenu dans le catalogue de la Bibliothèque nationale de France, dans ceux de bien des bibliophiles et dans la plupart des notices historiques ou bibliographiques du XIXᵉ siècle.

tenté d'endiguer la peste qui ravageait la cité phocéenne en 1720, mais il en mourut. Son oncle Jean André Peyssonnel, qui s'illustra en découvrant que le corail était un organisme vivant, est mentionné par Jules Verne dans *Vingt Mille Lieues sous les mers*. Son père, né en 1700 et portant lui aussi le prénom de Charles, fut avocat avant d'entreprendre une carrière diplomatique. Nommé en 1735 secrétaire d'ambassade à Constantinople, ayant pris part à la rédaction du traité de Belgrade (1739) – ce qui lui valut de recevoir du roi une pension et du pape un titre de comte –, ce fin lettré s'illustra comme « antiquaire », c'est-à-dire comme archéologue et historien d'art de l'Antiquité. D'Asie Mineure il rapporta notamment des inscriptions sur marbre pour les collections du roi. Devenu en 1747 consul à Smyrne (aujourd'hui Izmir), il fut en 1754 ambassadeur intérimaire auprès de la Sublime Porte.

Difficile d'être le fils de ce grand personnage mort à Smyrne en 1757, qui cofonda l'académie des belles-lettres de Marseille et fut associé libre de l'Académie royale des inscriptions et belles-lettres. D'ailleurs, les notices des dictionnaires du XIXᵉ siècle présentent systématiquement Charles de Peyssonnel junior comme « fils du précédent » et décrivent son itinéraire dans les pas de son père. Parmi elles on retiendra

ce délicat portrait perdu dans la *Biographie uni-*
verselle ancienne et moderne ou Histoire, par
ordre alphabétique, de la vie publique et privée
de tous les hommes qui se sont fait remarquer par
leurs écrits, leurs actions, leurs talents, leurs vertus
ou leurs crimes[10] :

« Fils du précédent, né en 1727 à Marseille,
fut destiné par son père à lui succéder dans la
carrière diplomatique, et, après avoir terminé
ses études avec distinction, alla le joindre à
Smyrne, où il remplissait la place importante
de consul général. À son exemple, il s'appliqua
à l'étude de la numismatique et fit en 1750 un
voyage à Thyatire, aujourd'hui Akhissar, et à
Sardes [en Asie Mineure], dont il rapporta un
grand nombre de médailles et d'inscriptions.
Nommé en 1753 consul en Crimée, il passa en
1757 avec le même titre à La Canée, dans l'île
de Candie [Crète], d'où il adressa au ministère
des mémoires importants sur le commerce de
la mer Noire et sur les moyens de le rendre
plus avantageux à la France. Ses talents lui
méritèrent d'être appelé en 1763 à la place de
consul général à Smyrne : il la remplit pendant
vingt ans, et, ayant obtenu sa retraite, vint à
Paris, où il passa les dernières années de sa vie,

10. Sous la direction de Louis Gabriel Michaud,
45 volumes, Paris, Leipzig, 1854-1865.

occupé de rédiger les observations que lui avait permis de faire une longue expérience de la politique des cabinets de l'Europe. Il y mourut presque subitement en mai 1790. Peyssonnel joignait à l'érudition beaucoup d'esprit ; son style est à la fois naturel et énergique [11]. »

« Naturel et énergique », son style l'est en effet quand il s'agit de croquer les Français de 1782 sur le vif, mais ce même compagnon si divertissant qui, au fil de sa plume, nous guide à travers Paris est aussi et surtout l'auteur d'ouvrages fort érudits, voire austères : *Essai sur les troubles actuels de Perse et de Géorgie* [12], parfois attribué à son père, qui lui en a peut-être fourni la matière ; *Observations historiques et géographiques sur les peuples barbares qui ont habité les bords du Danube et du Pont-Euxin* [13], dédié à l'Académie des inscriptions et belles-lettres, dont il était correspondant [14] ; *Traité sur*

---

11. *Biographie universelle ancienne et moderne..., op. cit.,* t. XXXII, p. 659-660.

12. Paris, Desaint et Saillant, 1754.

13. Paris, Tillard, 1765.

14. De même qu'il était membre honoraire de la Société des antiquaires de Cassel, et associé des académies de Lyon, Dijon et Marseille. (Voir, de Joseph Marie Quérard, *La France littéraire ou Dictionnaire bibliographique des savants, historiens et gens de lettres de la France, ainsi que des littérateurs étrangers, qui ont écrit en français, plus particulièrement pendant les XVIIIe et XIXe siècles,* 10 volumes, Paris, 1827-1839, t. VII, p. 110-111.)

le commerce de la mer Noire[15] ; *Examen du livre intitulé « Considérations sur la guerre actuelle des Turcs », par M. de Volney*[16], où il défend en 1788 la présence des Turcs en Europe pour faire contrepoids aux ambitions de la Russie – « de tous les écrits de M. de Peyssonnel, celui qui a fait le plus de fortune[17] ».

C'est là de la géopolitique avant l'heure, et la rédaction des *Numéros* a dû paraître en comparaison à leur auteur une activité particulièrement récréative. Mais les chapitres qu'on en reprend aujourd'hui dans *Petite Chronique du ridicule* ne sont légers qu'en apparence : Peyssonnel ayant passé nombre d'années hors de France, on ne s'étonnera pas qu'il ait pu porter un regard aussi pénétrant sur son pays natal – l'œil neuf d'un voyageur étranger, pour ainsi dire, avec ce recul indispensable à l'humour instructif.

Malheureusement pour lui, si 1782 fut l'année de parution des deux premières parties de ses *Numéros*, elle fut aussi celle des *Liaisons dangereuses* de Laclos, celle des *Confessions* et des *Rêveries d'un promeneur solitaire* de Rousseau.

---

15. 2 volumes, Paris, Cuchet, 1787.

16. Amsterdam, 1788.

17. *Correspondance littéraire, philosophique et critique adressée à un souverain d'Allemagne*, septembre 1788 (« périodique » manuscrit initié notamment par Grimm et Diderot, 1753-1790).

Peyssonnel publia sa quatrième partie en 1784, mais de cette année-là on a retenu la mort de Diderot et la première représentation officielle du *Mariage de Figaro* de Beaumarchais.

Dans la « littérature de témoignage » sur les derniers temps de l'Ancien Régime, la postérité lui a préféré de même l'auteur d'une œuvre monumentale : Louis Sébastien Mercier et les six cent soixante-quatorze chapitres de son *Tableau de Paris* (1781-1788), dont le succès rapide a certainement inspiré Peyssonnel. De fait, rentré en France pour y être un « homme observateur » après s'être consacré aux antiquités, aux affaires diplomatiques et aux Turcs, notre Marseillais pouvait reprendre à son compte ce que proclamait Mercier dans sa préface :

« Je me suis occupé de la génération actuelle et de la physionomie de mon siècle, parce qu'il est bien plus intéressant pour moi que l'histoire incertaine des Phéniciens et des Égyptiens. Ce qui m'environne a des droits particuliers à mon attention. [...] La connaissance du peuple parmi lequel il vit sera donc toujours la plus essentielle à tout écrivain qui se proposera de dire quelques vérités utiles propres à corriger l'erreur du moment. »

Mais bizarrement, en 1789 ça n'est plus sur la société française que se penche Charles de Peyssonnel : il retourne à ses considérations sur les relations extérieures en publiant cette année-là un livre « adressé au Roi et à l'Assemblée nationale », *Situation politique de la France, et ses rapports actuels avec toutes les puissances de l'Europe*[18].

On est loin de la joviale et piquante sobriété des *Numéros*. Cet homme de soixante-deux ans qui entreprend de collaborer, avec Condorcet et Le Chapelier, à l'édition de la *Bibliothèque de l'homme public*[19] demeure très sérieux dans ses écrits lorsque, au printemps 1790, il adresse des mémoires à l'Assemblée nationale[20]. Il a

---

18. *Ouvrage dont l'objet est de démontrer, par les faits historiques et les principes de la saine politique, tous les maux qu'a causés à la France l'alliance autrichienne, et toutes les fautes que le ministère français a commises depuis l'époque des traités de Versailles de 1756, 1757 et 1758 jusqu'à nos jours.* (« À Neuchâtel ; et se trouve à Paris, chez Buisson, librairie rue Hautefeuille, n° 20. »)

Au XIXe siècle, on lui attribuait en outre *Du péril de la balance politique de l'Europe ou Exposé des causes qui l'ont altérée dans le Nord depuis l'avènement de Catherine II*, Londres, 1789, mais aujourd'hui la Bibliothèque nationale de France et les archives du Quai d'Orsay désignent comme auteur le Suisse Jacques Mallet du Pan.

19. *Ou Analyse raisonnée des principaux ouvrages français et étrangers sur la politique en général, la législation, les finances, la police...*, 14 volumes, Paris, Buisson, 1790-1792.

20. *Mémoire sur les demandes et prétentions des divers princes d'Allemagne, qui ont des propriétés dans les provinces d'Alsace et de Franche-Comté* (20 avril 1790) et *Mémoire sur la nécessité de mettre sur le pied français, ou d'incorporer*

encore le temps de prononcer, devant la Société des amis de la Constitution, un *Discours sur l'alliance de la France avec les Suisses et les Grisons*[21] (3 mai) avant que *Le Mercure de France* du 5 juin 1790 n'annonce sa mort soudaine en même temps que la réédition de sa *Situation politique de la France*.

N'ayant pas vécu les heures les plus sombres de la Révolution, peut-être a-t-il conservé jusqu'à la fin, malgré ses publications austères, le sourire qu'il avait certainement au coin des lèvres tandis qu'il rédigeait ses portraits de Parisiens et de Français au début des années 1780. Ce même sourire, on le souhaite à présent au lecteur qui s'apprête à savourer *Petite Chronique du ridicule*. « Si quelqu'un s'offense de mes tableaux, écrivait Charles de Peyssonnel, c'est qu'il s'y reconnaît[22]. » Mais, bien sûr, le ridicule ne concerne que les autres, et quand bien même, il est de notoriété publique qu'il n'a jamais tué grand-monde...

Mario PASA,
juin 2007.

---

les troupes étrangères (2 mai 1790), Paris, Imprimerie nationale, sans dates.

21. Paris, Baudouin, 1790.

22. *Les Numéros, op. cit.,* Première Partie, p. 8.

PETITE CHRONIQUE
DU RIDICULE

De Paris

Personne n'a mieux défini Paris que l'aimable voyageur anglais M. Sherlock*, en disant qu'il est indéfinissable, que c'est l'abrégé de l'univers, une ville vaste et informe, pleine de merveilles, de vertus, de vices et de ridicules ; il la prend collectivement avec ses habitants, et sous toutes les acceptions, physique, morale, politique et civile. Mais il est certain qu'en envisageant Paris matériellement comme ville, abstraction faite de son peuple, et relativement à sa seule construction, on ne peut pas dire que ce soit une belle ville.

C'est une ville énorme, imposante par son immensité : elle a la majesté du chaos ; c'est un

* Martin Sherlock (1747 ?-1797), auteur des *Lettres d'un voyageur anglais* et des *Nouvelles Lettres d'un voyageur anglais* (Londres, 1780), fut évêque de Derry (Irlande). Apprécié de Frédéric II, il rencontra Voltaire à Ferney. *(Toutes les notes de bas de page sont de l'éditeur.)*

mélange monstrueux de beautés sublimes et de défauts révoltants.

On y voit encore, à côté des édifices de Louis XIV, de Louis XV et de Louis XVI, des édifices de Chilpéric, de Clovis et de Dagobert. On y voit une foule de magnifiques palais, de superbes hôtels, de maisons charmantes par la décoration et la commodité, semés au hasard parmi de vieilles et vilaines maisons, sans goût, sans clarté, sans propreté, sans agrément. On y voit d'autres maisons modernes, bien bâties, bien distribuées et entièrement dégradées comme les anciennes par des allées étroites, obscures et infectes qui en forment l'entrée, dans lesquelles il faudrait de la lumière en plein midi, et qui servent de cabinet d'aisance à tous les passants. On y voit des rues sans alignement et sans régularité, dont les plus belles sont souvent coupées par des traverses étroites, obscures, malpropres et puantes ; il n'y a dans ces rues point de trottoirs pour les piétons, par conséquent point d'abri contre les dangers des carrosses et les éclaboussures. On y désire encore une cathédrale, un hôpital, un palais de justice, un hôtel de ville, des marchés vastes, propres et commodes, des théâtres dignes de la nation et des chefs-d'œuvre de ses grands hommes. On y voit encore avec douleur sur les ponts ces antiques et détestables cahutes qui ôtent le superbe coup d'œil des deux bras de la rivière.

La plupart des édifices qui sont le principal ornement de la ville sont ou imparfaits, ou masqués : il manque au Louvre l'autre aile des galeries du côté de la rue Saint-Honoré ; il n'y a encore point de place régulière et décorée devant sa superbe façade qui a pour pendant l'église gothique de Saint-Germain-l'Auxerrois. Le portail de Saint-Sulpice est placé dans la ruelle, entre l'église et le séminaire, et il faut se tordre le col pour pouvoir porter la vue jusqu'au second rang de colonnes. L'École de chirurgie est tellement bornée par la barbare église des Cordeliers que les carrosses ne peuvent pas entrer dans la cour. Il faut deviner le portail de Saint-Gervais, un des chefs-d'œuvre de l'architecture.

Pourquoi ne pouvons-nous pas atteindre au degré de grandeur, de noblesse et de magnificence des Anciens dans les édifices publics ? On prétend qu'ils avaient plus de facilité que nous dans l'exécution ; on nous conte qu'il n'en a coûté que des oignons pour élever les pyramides d'Égypte, que la main-d'œuvre ne coûtait rien aux Romains et aux Grecs parce qu'ils faisaient travailler leurs esclaves. Mais que dire du petit royaume de Palmyre, grand comme le Comtat Venaissin, où l'on n'a jamais parlé d'oignons, où les esclaves ne devaient certainement pas être nombreux, et où l'on voyait cependant ce fameux temple dont les précieux débris attirent encore aujourd'hui tant de voyageurs et font l'admiration de tous les peuples éclairés ?

Je crois que la véritable raison de la supériorité des Grecs et des Romains sur nous, quant à ce point, est qu'ils étaient vraiment patriotes, et que nous sommes égoïstes ; qu'ils donnaient tout au faste public, et nous au faste privé. On ne peut plus arracher aujourd'hui de l'argent aux particuliers pour les édifices publics que par la charge forcée d'un impôt ou la trompeuse amorce d'une loterie : une loterie a bâti l'église de Saint-Sulpice ; une imposition sur les cartes a été appliquée à la construction et au maintien de l'École militaire.

Parmi les marbres d'Arondel conservés à Oxford*, on trouve une inscription grecque qui a trait à la restauration du gymnase de Smyrne, et dans laquelle sont rapportés les noms de tous les citoyens qui avaient concouru à cet embellissement. Aujourd'hui, le plus riche habitant de Paris, qui se ruinera volontiers au jeu, en

---

* Collection d'inscriptions grecques constituée en 1624 par le comte d'Arundel et cédée en 1667 par son petit-fils à l'université d'Oxford. Elle est conservée aujourd'hui dans cette même ville (Ashmolean Museum).

maîtresses, en chevaux et en voitures, ne donnera pas vingt-quatre sols pour avoir une cathédrale aussi belle que Saint-Pierre et un palais de justice aussi majestueux que l'ancien Capitole.

Des Parisiens

Les Parisiens sont fort enthousiasmés, fort orgueilleux de leur Paris, et pensent qu'il n'y a point de salut et même point d'existence dans aucune autre ville du monde. Cependant, tous les gens riches, tous ceux même qui ont quelque aisance en partent après Pâques, n'y reviennent que vers Noël, sont absents environ neuf mois de l'année et appellent cela vivre à Paris. Les seigneurs vont dans des terres éloignées ; mais le plus grand nombre des gens opulents, riches ou commodes va dans des villages contigus ou voisins de Paris, comme Auteuil, Passy, Saint-Cloud, Sèvres, Nogent, Vincennes, Saint-Maur, Villejuif.

Ceux qui ont de grands moyens occupent de magnifiques maisons isolées, dont l'extérieur est décoré de la plus belle architecture, et l'intérieur meublé avec toute la richesse et le goût imaginables. Ces maisons sont entourées de parcs, de jardins bien peignés, bien léchés, bien symétriques, où il n'y a absolument rien d'agreste. Les gens dont les facultés sont plus resserrées ont des maisons dans les villages, avec de petits jardins, ou plutôt des basses-cours arborisées, et ne voient pas plus les champs que s'ils étaient logés dans la rue Saint-Denis ou dans la rue Saint-Honoré.

Les uns et les autres tiennent le même état, voient à peu près le même monde, mènent la même vie, s'assujettissent à la même parure, ont les mêmes habitudes que dans le sein de Paris, ne peuvent pas tirer un coup de fusil sans être saisis par les gardes-chasse, et appellent cela être à la campagne. Ils veulent absolument trouver la campagne dans un circuit où l'art a chassé de partout la nature. Ils s'efforcent de donner à leurs possessions quelque apparence champêtre. À côté d'un superbe château à la décoration duquel l'art a été épuisé, ils ménageront un petit réduit où l'on sera étonné de trouver une vache, quelques moutons, de la volaille, une laiterie, un tas de fumier, une vieille charrette qui n'a jamais servi à autre chose qu'à faire partie de ce costume rustique, mendié, décousu et ridicule. Ces gens-là réussiraient tout aussi bien en ville, en faisant entrer une vache, une chèvre et quelques brebis dans leur salon de compagnie, faisant battre du beurre et cuire quelques fromages dans leur antichambre, et mettant une poule et une oie à couver dans leur boudoir.

On ne fait point la campagne, elle est toute faite ; elle est sortie des mains du Créateur et non de celles de l'homme. Il faut l'aller chercher dans ces climats heureux, dans ces pays fortunés où une belle terre, un sol varié, un air pur, un soleil brillant, des sources naturelles, des arbres que le ciseau de l'homme n'a jamais mutilés, nous donnent ces beaux tableaux, ces perspectives riantes que nous aimons à voir représentées sur la toile par la main de nos habiles artistes. Il faut aller goûter les délices de la campagne parmi ces hommes simples qui n'ont jamais été infectés de la corruption des grandes capitales, et qui ont encore conservé quelque pureté dans les mœurs.

Tous ces campagnards des environs de Paris ne font que changer de ville, et même de quartier ; car il y a plusieurs de ces villages qui peuvent être regardés comme des quartiers reculés de Paris. Ils se privent des agréments de la ville sans jouir des plaisirs ruraux ; ils donnent à leurs amis paresseux ou occupés le chagrin de les perdre pour longtemps, et à leurs amis empressés et libres la peine de les aller chercher fort loin.

Dans le mois de juin dernier, un financier* de ma connaissance m'invita à aller le voir à sa campagne. Nous prîmes jour. Je m'y rendis de bon matin, pour avoir le temps de jouir. Je montai en voiture à six heures, avec le plus beau temps du monde. J'étais à peine à la barrière que le temps était déjà couvert. J'arrivai à huit heures, par une pluie à verse. Monsieur n'était pas encore venu, et il n'était pas encore jour chez Madame. J'entrai dans une maison charmante où tout respirait le luxe, l'opulence et la volupté. On m'ouvrit le salon où je fus tout seul pendant très longtemps. Je dévorai une mauvaise brochure que je trouvai sur un canapé. Vers les neuf heures et demie, il vint des messieurs et des dames de la ville, et je trouvai à converser. Le financier parut peu de temps après, suivi d'un laquais qui lui portait deux grands portefeuilles. Il témoigna à la compagnie tout le chagrin qu'il avait de s'être laissé devancer, et après quelques civilités d'usage il nous dit que Madame ne tarderait pas de se lever, et demanda la permission de passer dans son cabinet pour expédier un travail qu'il n'avait pas pu achever la veille.

---

* C'est-à-dire un fermier général, ou quelque autre acteur important dans la perception des impôts indirects. Voir note de la p. 100.

À onze heures, Madame sonna et vint peu de temps après dans le salon. Elle demanda beaucoup d'excuses de sa paresse ; elle la mit sur le compte d'un mal de tête qu'elle avait gagné en se promenant le soir d'auparavant dans le parc, et qui lui avait fait passer une nuit affreuse. Après avoir été bien plainte et bien consolée, elle fit servir à déjeuner du chocolat, du café à la crème, forma ensuite, de sa compagnie, deux parties de wisk*, alla se mettre à sa toilette, et reparut, vers les deux heures, dans la plus élégante parure.

On commença à parler de dîner. On se mit à table à près de trois heures ; le maître de la maison ne vint que quand on l'avertit qu'on avait servi. La conversation roula beaucoup, pendant le repas, sur les agréments et la liberté de la campagne. La maîtresse de la maison, qui s'était levée à onze heures, qui avait attrapé un mal de tête épouvantable pour s'être promenée un peu trop tard dans le parc, qui était vêtue dans le plus grand goût, coiffée avec la plus grande prétention, qui avait à ses cheveux de la poudre d'odeur, dont tout le salon était parfumé, et du rouge depuis le menton jusqu'aux

---

* Ou whist. Ce jeu de cartes d'origine anglaise, ancêtre du bridge, a été introduit en France sous le règne de Louis XIV.

paupières, et qui, à coup sûr, n'avait de sa vie su distinguer un chou d'avec un oignon, ni un pommier d'avec un cyprès, parla beaucoup, et dans le style le plus recherché, des travaux rustiques, des changements qu'elle avait fait faire à son potager, des progrès de ses arbres fruitiers, du veau que sa vache lui avait donné, des fromages qu'on avait faits dans sa laiterie, et se donna un petit air d'agricole qui m'amusa on ne peut davantage, et qui s'accordait à merveille avec son ajustement et son jargon. Elle ressemblait à une femme de campagne à peu près autant qu'un berger de l'Opéra, habillé de taffetas blanc bordé de rubans bleus ou couleur de rose, avec un chapeau et une écharpe de fleurs, une houlette entourée de rubans et de guirlandes, ressemble à un vrai pâtre qui conduit des bœufs ou des moutons. Le mari ne desserra les dents que pour manger, et avait l'air fort rêveur : il était déjà question du nouveau bail.

On sortit de table à cinq heures. Le temps s'était un peu raccommodé pendant le dîner. J'entendais tout le monde se plaindre d'une chaleur étouffante, tandis qu'un froid humide, qui m'avait pénétré jusqu'aux os, m'avait forcé de crocheter mon habit. On convint unanimement qu'on ne pouvait pas encore se risquer à la promenade. Il prit une envie subite à deux femmes d'aller voir un opéra nouveau qu'on donnait ce soir-là à Paris ; elles montèrent sur-le-champ en voiture, et deux cavaliers les accompagnèrent. Le reste de la compagnie se remit au wisk.

Vers le crépuscule, quand les chauves-souris commencèrent à se montrer, on fit quelques tours dans le jardin, sous des ormes taillés en arcades, et sur une terrasse le long de laquelle régnait une balustrade en fer doré. Une dame dit qu'il y avait de l'humidité dans l'air ; ce fut le signal de la retraite. On rentra ; on fit de la musique pendant un quart d'heure ; on joua au loto jusqu'au souper. On soupa, et dès qu'on fut hors de table, le maître de la maison prit congé de la compagnie pour retourner en ville, parce qu'il devait se trouver le lendemain à l'assemblée à l'hôtel des Fermes. Les autres convives s'arrêtèrent à coucher. Pour moi, je prétextai une affaire importante qui m'obligeait de me trouver de bon matin à Paris. Le maître me força de congédier ma voiture, me fit monter dans la sienne. La pluie nous accompagna pendant tout le chemin. Il me remit chez moi, et je me couchai enivré des plaisirs de la campagne.

Trois mois après, je rencontrai mon financier aux Tuileries. Il me demanda ce que j'étais

devenu, m'assura que Madame, qui certainement n'avait pas une seule fois pensé à moi
depuis que je l'avais quittée, se plaignait amèrement de ce qu'on ne m'avait pas revu. Je
m'excusai le mieux qu'il me fut possible. Un
monsieur et une dame qui étaient avec lui, et
que j'avais vus à cette partie de campagne, me
rappelèrent avec complaisance les plaisirs que
nous y avions goûtés. Je leur protestai qu'ils
étaient toujours présents à ma mémoire et que
le souvenir m'en serait toujours cher. Mais je
n'y suis plus retourné.

Des usages nouveaux

Je n'étais pas venu à Paris depuis quinze ans :
en y entrant, j'ai cru entrer à Londres. Je n'ai
rencontré dans les rues que des carrosses à
l'anglaise dans lesquels étaient des femmes coiffées en chapeaux élégants, dont la mode nous
est venue d'Angleterre ; des cabriolets à
l'anglaise, menés par des petits-maîtres* enve-
loppés dans des redingotes à doubles, triples et
quadruples collets rabattus en forme de camail,
surmontés de petits chapeaux ronds ; des cavaliers habillés et montés à l'anglaise ; des piétons
dans le même accoutrement. J'ai observé derrière les voitures de petits garçons vêtus et
coiffés comme leurs maîtres, ayant de plus les

---

* « On appelle ainsi un jeune homme de cour qui se
distingue par un air avantageux, par un ton décisif, par des
manières libres et étourdies. » (*Dictionnaire de l'Académie
française*, 4ᵉ édition, 1762.) Durant la Fronde, ce nom
désignait les jeunes seigneurs du parti de Condé.

cheveux ronds, plats et sans poudre, et le toupet rabattu sur le front. J'ai trouvé sur mon chemin plusieurs boutiques fournies de toutes sortes de marchandises anglaises, et intitulées : Magasins anglais ; et j'ai vu le punch anglais annoncé en grosses lettres dans les enseignes d'une infinité de cafés de la ville et des faubourgs.

Un peu avant d'arriver à l'hôtel garni où je devais loger, j'ai aperçu de loin plusieurs hommes à cheval, venant en troupe : la curiosité m'a engagé à m'arrêter pour les voir passer. À la tête marchait un homme de bonne mine, monté sur un coursier anglais et harnaché à l'anglaise ; lui-même était habillé dans le costume anglais le plus exact, et en affectait tout le maintien et les allures : j'ai jugé que c'était un personnage considérable, parce que tous les autres cavaliers avaient l'air de former son escorte. Pour le coup, ai-je dit, celui-ci est certainement un Anglais ; c'est sans doute un ambassadeur qui arrive de Londres pour apporter des propositions de paix à notre Cour. Cette persuasion a redoublé ma curiosité ; j'ai vaincu la petite honte qu'il y a à Paris de s'avouer provincial et j'ai demandé quel était ce seigneur. Mais ma surprise a été extrême quand on m'a dit que c'était un homme de la Cour qui revenait de fort mauvaise humeur d'une de ces courses de chevaux établies à Vincennes, à l'imitation de Newmarket, et où il avait perdu en trois secondes une gageure considérable.

Je suis entré dans mon logis, frappé de tout ce que je venais de voir. Il me paraissait étrange que la canaille de Londres proposât des coups de poing à un Français qui osait paraître dans les rues de cette capitale avec l'habillement de sa nation, tandis que le peuple de Paris souffre patiemment que ses propres concitoyens se montrent à lui dans le costume de ses plus irréconciliables ennemis.

J'étais absorbé dans ces réflexions lorsque tout à coup une grande rumeur que j'ai entendue dans la rue m'a tiré de ma rêverie. Je me suis informé du motif qui occasionnait un attroupement tumultueux : on m'a dit qu'on portait à la morgue les cadavres de deux hommes et d'une femme qui s'étaient jetés volontairement dans la rivière, d'où on les avait retirés noyés. Mon laquais est rentré chez moi dans le même instant et m'a raconté qu'il venait de Saint-Sauveur, où pendant les vêpres une femme s'était coupé la gorge dans un confessionnal.

Tous ces horribles événements m'ont donné la plus sombre mélancolie. Je suis sorti pour aller à la promenade et me dissiper un peu : en passant dans la rue Saint-Honoré, j'ai rencontré le guet et le commissaire, allant faire un *accedit* * chez un marchand dont les affaires étaient dérangées, et qui s'était pendu dans sa boutique. Ces différentes copies des Anglais m'ont paru plus sérieuses et plus effrayantes que l'imitation de leurs modes, de leurs habillements et de leurs voitures. J'étais sur le point de retourner chez moi, de faire mettre les chevaux à ma chaise, d'abandonner mes affaires et de partir sur-le-champ, de peur que ce vertige ne me gagnât ; mais j'ai été retenu par l'espoir de trouver à un souper auquel j'étais invité, chez une des plus jolies et des plus élégantes dames de Paris, assez de gaieté pour chasser l'humeur noire que tant d'horribles images avaient versée dans mon âme.

Je m'y suis rendu au sortir du spectacle, persuadé que j'allais prendre ma part d'un de ces soupers délicieux que l'on faisait ici autrefois, dans lesquels les joyeux propos, la fine plaisanterie, la galanterie délicate répandaient tant d'agréments, où l'on riait, et d'où l'on sortait gai et enivré de plaisir ; mais on ne rit plus dans ce pays-ci. On s'est assis à onze heures autour

* Réunion contradictoire entre les parties avant la rédaction d'un rapport.

d'une table servie avec autant de luxe que de délicatesse ; mais les plats les plus exquis et dont le coup d'œil était capable de rappeler l'appétit dans l'estomac le plus délabré n'ont seulement pas été touchés : on a servi un consommé et deux œufs à la coque à la maîtresse de la maison ; les convives, hommes et femmes, dont les uns prenaient les eaux de Passy*, et les autres étaient rongés de vapeurs, n'ont mangé qu'un peu de farineux** et grignoté quelques pâtisseries légères. Les bouteilles de plusieurs vins délicieux qui étaient autour de la table n'ont été débouchées que pour moi seul, qui en ai bu largement, après avoir mangé de tous les plats et avoir déployé un appétit brillant qui m'a attiré l'attention et les applaudissements de toute la cacochyme assemblée.

On ne disait mot. La maîtresse de la maison, jolie comme un ange et âgée de vingt ans, s'est aperçue de quelques bâillements de ses convives, et avait peine à retenir les siens. Elle a rompu le silence, et pour égayer la compagnie a

* Réputées antianémiques et laxatives, elles furent découvertes au milieu du XVIIe siècle et exploitées jusque sous le Second Empire.

** « De ce qui tient de la nature de la farine. Les semences légumineuses, les pois, les fèves, le riz, le maïs sont des substances farineuses. » (*Dictionnaire de l'Académie française*, 4e édition, 1762.)

demandé à un premier commis qui était à côté d'elle si l'on avait appris quelque chose des opérations de M. le comte d'Estaing*, et sans attendre sa réponse, a disserté longuement et profondément sur les évolutions d'une flotte, sur l'art d'approvisionner à propos les escadres et d'intercepter les convois ennemis. Une autre jeune et jolie femme nous a donné l'analyse des Mémoires de feu M. le comte de Saint-Germain**, a parlé très pertinemment sur son système militaire, et allait nous donner le développement de ses vastes connaissances sur l'état de la cavalerie et des dragons, lorsqu'elle a été interrompue par une dévote, qui a discuté avec la plus profonde doctrine un nouveau mandement de M. l'archevêque de Paris, et cité à propos plusieurs passages de la Bible et des saints Pères. Quelques hommes qui avaient formé une conversation à part à un autre bout de la table se sont entretenus des intérêts des

---

* Vice-amiral des mers d'Asie et d'Amérique, le comte Jean-Baptiste d'Estaing (1729-1794) prit part à la guerre de l'Indépendance américaine et s'empara de la Grenade. Nommé amiral de France en 1792, il sera guillotiné sous la Terreur.

** Après avoir servi plusieurs souverains, le comte Claude Louis Robert de Saint-Germain (1707-1778) avait rédigé des Mémoires dénonçant les faiblesses de l'armée française. Sur le conseil de Turgot, Louis XVI lui confia le portefeuille de la Guerre de 1775 à 1777.

places de Bordeaux, de Marseille, de Nantes, des prises que les Anglais nous ont faites et du cours actuel des effets royaux.

On s'est levé de table à moitié endormi ; et pour se réveiller, on a passé à une table de loto. J'y ai perdu mon argent, et me suis retiré à trois heures du matin, la rage dans l'âme d'avoir vu le beau monde et la meilleure compagnie infectés, sans espoir de guérison, du *spleen* et de la mélancolie anglaise.

Alexandre, dans le cours de ses conquêtes, adopta les mœurs des Perses ; mais ce fut après les avoir vaincus et soumis à sa domination. Nous avons pris par anticipation les modes, les goûts, les vices et les ridicules d'une nation d'ailleurs si estimable et notre rivale : nos succès contre elle auraient dû précéder cette imitation. Ce n'est qu'après avoir enlevé à jamais aux Anglais le commerce de leurs colonies, après leur avoir ravi l'empire des mers dont ils ont été si longtemps en possession, qu'il nous sera permis d'être habillés, montés, voiturés, servis à l'anglaise, de boire du punch, de jouer au wisk, de nous casser la tête, de nous couper la gorge, de nous jeter dans la rivière, de bâiller et d'ennuyer dans les soupers toutes les jolies femmes. Ce n'est qu'après des victoires déci-sives qui fixeront à jamais la supériorité de notre monarchie sur celle de la Grande-Bretagne qu'il sera permis aux Français qui ont manqué les occasions d'accélérer ce triomphe de la Nation de se pendre de désespoir.

[De la paresse des Français
à apprendre les langues étrangères]

Le Spectateur*, dans une ses lettres, remercie la Providence de l'avoir fait naître Anglais parce que la langue anglaise est la plus analogue à son caractère taciturne, et que l'immensité de monosyllabes dont elle est composée lui donne la facilité d'exprimer ses idées avec la plus petite dépense de sons possible. Moi, je remercie cette même Providence de m'avoir fait naître Français parce que j'aime beaucoup à courir, et qu'il me paraît fort doux et fort commode de trouver ma langue chez tous les peuples de l'Europe.

---

* *The Spectator*, périodique londonien fondé par Joseph Addison et Richard Steele, parut de 1711 à 1712, puis de nouveau en 1714. Son narrateur fictif, Mr Spectator, y observait les mœurs de son temps avec humour et s'employait à élever l'esprit et l'âme des Anglais. Cette publication a inspiré à Marivaux son *Spectateur français* (1722-1723).

La complaisance extrême qu'ont eue tous les Européens d'adopter la langue française rend les Français infiniment paresseux à apprendre les langues étrangères ; ils sont persuadés qu'avec la leur ils peuvent voyager partout. Les Parisiens surtout poussent cette persuasion au point de ne pas croire même qu'il puisse exister sur le globe un homme qui n'entende pas le français.

Il est vrai que dans tous les pays chrétiens les gens de cour, les gens de lettres et toutes les personnes d'un état un peu élevé font une étude particulière de la langue française, et la parlent assez communément ; mais il est vrai aussi que dans tous les pays du monde le peuple ne parle que sa langue ou son patois, et cela est si vrai que dans plusieurs provinces de la France même on a bien de la peine à se faire entendre en parlant français. Cette bonne foi avec laquelle les Français s'en vont partout, parlant leur langue indistinctement à toutes sortes de personnes, et l'assurance où ils sont d'être parfaitement compris, produisent quelquefois des coq-à-l'âne on ne peut pas plus amusants.

Un jeune Parisien allant à Amsterdam fut frappé de la beauté d'une des maisons de campagne qui bordent le canal. Il s'adressa à un Hollandais qui se trouvait à côté de lui dans la barque et lui dit :

« Monsieur, oserais-je vous demander à qui appartient cette maison ? »

Le Hollandais lui répondit dans sa langue :

« *Ik kan niet verstaan* », qui signifie : « Je ne vous comprends pas. »

Le jeune Français, ne se doutant pas même qu'il n'avait pas été compris, prend la réponse du Hollandais pour le nom du propriétaire.

« Ah ! ah ! dit-il, elle appartient à M. Kaniferstan ? Eh bien ! je vous assure que ce monsieur-là doit être très agréablement logé. La maison est charmante, et le jardin paraît délicieux : je ne connais rien de mieux que ça. Un de mes amis en a une à peu près semblable sur la rivière, du côté de Choisy ; mais il me semble que je préférerais celle-ci. »

Et il ajoute quelques autres propos dans le même genre auxquels le Hollandais n'entend et ne réplique rien.

Arrivé à Amterdam, il voit sur le quai une jolie dame à laquelle un cavalier donnait le bras ; il demande à un passant quelle est cette charmante personne. Celui-ci répond de même :

« *Ik kan niet verstaan.*

– Comment ? dit-il. Monsieur, c'est là la femme de M. Kaniferstan dont nous avons vu la maison sur le bord du canal ? Mais vraiment, le sort de ce monsieur-là est digne d'envie : comment peut-on posséder à la fois une si belle maison et une si aimable compagne ? »

À quelques pas de là, les trompettes de la ville sonnaient une fanfare à la porte d'un homme qui avait gagné le gros lot à la loterie de Hollande. Notre jeune voyageur veut s'informer du nom de cet heureux mortel ; on lui répond encore :

« *Ik kan niet verstaan.*

– Oh ! pour le coup, dit-il, c'est trop de fortune ; M. Kaniferstan, propriétaire d'une si belle maison, mari d'une si jolie femme, gagne encore le gros lot à la loterie ? Il faut convenir qu'il y a des hommes bien heureux dans ce monde. »

Il rencontre enfin un enterrement et demande quel est le particulier qu'on porte à la sépulture.

« *Ik kan niet verstaan*, lui répond celui à qui il a fait cette question.

– Ah ! mon Dieu ! s'écrie-t-il, c'est là ce pauvre M. Kaniferstan qui avait une si belle maison, une si jolie femme et qui venait de gagner le gros lot à la loterie ? Il doit être mort avec bien du regret ; mais je pensais bien que sa félicité était trop complète pour pouvoir être de longue durée. »

Et il continue d'aller chercher son auberge, en faisant des réflexions morales sur la fragilité des choses humaines.

La répugnance des Parisiens à apprendre les langues étrangères a peut-être sa source dans la difficulté extrême qu'ils ont à les prononcer. La prononciation parisienne ne s'adapte à aucune langue du monde, et leur accent perce toujours à travers le masque de quelque idiome que ce puisse être. Un Parisien que le hasard avait fait consul au Caire s'était fort appliqué à l'étude de la langue arabe, et y avait fait les plus grands progrès, sans jamais avoir pu en prendre l'accent ni la prononciation. Il fit un jour à un grand d'Égypte, duquel il recevait la visite, un compliment en arabe fort élégant, mais tellement défiguré par la prononciation parisienne que le seigneur égyptien, après l'avoir écouté bien attentivement sans y rien comprendre, se tourna vers l'interprète et lui dit :

« Dites, je vous prie, à M. le Consul que je suis bien mortifié, mais que je n'entends pas le français. »

Cette difficulté qu'ont les Parisiens à prononcer les langues étrangères éclate principalement dans les noms propres, qu'ils estropient tous et qu'ils tâchent d'assimiler à des noms français. Il y avait au service de France des MM. de Wranghel, de l'illustre Maison de

Livonie qui porte ce nom : on les appelait MM. Du Rangel. J'ai connu autrefois un gentilhomme espagnol né en Amérique, fixé à Paris où il avait acheté une charge chez le Roi ; il se nommait M. de Santo-Domingo, et était issu d'une branche de la Maison de Medina-Sidonia. Quelque illustre que fût ce nom, on le trouva trop long pour des bouches parisiennes ; on lui retrancha le Domingo, et il n'a jamais pu se faire appeler autrement que M. de Santo.

J'ai un nom de trois syllabes assez faciles à articuler ; je n'ai pas encore pu parvenir à l'enseigner aux laquais des maisons où je vais habituellement. Un gros ara établi dans l'antichambre d'un grand seigneur chez qui je suis fort assidu a appris parfaitement mon nom, et les laquais ne le savent pas encore ; je m'entends à chaque instant appeler par le perroquet, et je n'ai pas encore pu me faire annoncer correctement par les domestiques. Voltaire lui-même, en parlant des fondateurs de la république des Suisses, ne s'écrie-t-il pas : « Quel dommage que la difficulté de prononcer des noms si respectables nuise à leur célébrité » ?

Il est bien singulier que, si par hasard un Français parle passablement la langue du pays où il se trouve, il y soit applaudi, fêté, regardé comme un prodige : on dirait que tous les peuples de la Terre sont obligés de savoir sa langue, et qu'il est dispensé d'apprendre les leurs. Je suis Français ; je ne saurais être fâché que les autres habitants de l'Europe apprennent notre langue, imitent nos manières, copient nos modes, préfèrent nos manufactures, mangent de notre cuisine ; je ne puis voir qu'avec plaisir cet aveu tacite de notre supériorité ; mais je suis forcé d'avouer aussi que nous abusons bien souvent de nos avantages, et que nous sommes les enfants gâtés de toutes les nations du monde.

*[De la manie de renoncer
à l'usage salutaire des jambes]*

César, Pompée, Cicéron, Lucullus, le plus fastueux et le plus magnifique des hommes de l'Antiquité, et dont le maître d'hôtel vraisemblablement était un personnage plus considérable que n'est aujourd'hui le plus grand seigneur de l'Europe, tous ces gens-là allaient tout bonnement à pied dans les rues de l'ancienne Rome et auraient craint de causer la plus légère incommodité au dernier de leurs compatriotes. Si le premier homme de la République avait taché la veste du moindre citoyen, la cause aurait été portée au Sénat ; et si, par un cas même involontaire, il en avait tué ou blessé quelqu'un, cet événement aurait suffi pour faire révolter les légions romaines.

Dans Paris aujourd'hui le plus petit financier se croirait déshonoré s'il marchait autrement que dans un char plus superbe que ceux dans lesquels ces conquérants de l'univers n'osaient se montrer que lorsqu'ils avaient obtenu les honneurs du triomphe, après avoir remporté des victoires signalées, subjugué quelque nation et soumis un nouvel empire à la domination de la République. Des laquais insolents ont pris la place des rois humiliés que l'on voyait dans ces jours de gloire, enchaînés aux chars de ces maîtres du monde. La partie opulente des citoyens a acquis le droit d'éclabousser et d'écraser la partie indigente.

La manie de se faire traîner et de renoncer au salutaire usage des jambes que la nature nous a données a gagné la nouvelle Rome comme toutes les autres grandes capitales ; les carrosses y sont tout aussi nombreux, mais au moins les chevaux y marchent d'un pas lent et paisible qui laisse aux piétons le temps et les moyens de s'en garantir. Les rues de Paris au contraire ont l'air d'autant de cirques où l'on se dispute le prix de la course. Un vil courtisan qui veut arriver des premiers au lever, à Versailles ou à Marly ; un petit-maître qui traîne sans dessein dans les rues de Paris sa brillante inutilité ; un abbé qui court à la toilette d'une élégante ; un magistrat qui craint de manquer l'audience pour s'être levé trop tard, après avoir passé la nuit dans les plaisirs ; un maltôtier * qui de derrière le carrosse a passé dedans, qui poursuit quelque nouveau projet pour dépouiller le peuple, font jaillir de tous côtés dans leur course rapide l'eau bourbeuse et la boue sur les vêtements d'une foule de citoyens utiles et vertueux. Leurs cochers insolents, sans daigner s'arrêter tant soit peu quand ils voient quelqu'un en danger, se contentent de crier du ton le plus révoltant : « Gare ! Gare ! » Et si le malheureux piéton qui se trouve sur leurs pas est un vieillard peu ingambe, un boiteux, un convalescent, un distrait ou un sourd, ils lui passent sur le corps et l'écrasent comme un vil reptile indigne de retarder d'un instant la vélocité de la marche de ces êtres importants qui courent à la bassesse, à l'injustice, à la rapine ou au plaisir.

Il n'y a pas jusqu'aux médecins, qui ont tant de moyens de détruire impunément l'espèce humaine, qui ne se permettent encore cette façon de rendre leur profession plus meurtrière : je me rappelle que, il y a environ trente-

---

* « Celui qui exige des droits qui ne sont point dus, ou qui ont été imposés sans autorité légitime. [...] Il se dit aussi par abus de ceux qui recueillent toutes sortes de nouvelles impositions. » (*Dictionnaire de l'Académie française*, 4e édition, 1762.) Voir note sur la Ferme générale p. 100.

cinq ans, le carrosse du célèbre docteur Dumoulin* écrasa un enfant dans une des rues de Paris.

La police de cette capitale est certainement une des parties du gouvernement le mieux administrées. Elle veille sans relâche à la sûreté et à la commodité des habitants ; elle pave, nettoie et éclaire les rues ; elle entretient une garde à pied et à cheval pour prévenir et empêcher les crimes ou arrêter les coupables ; elle fait surveiller les filous par d'autres filous chargés de les inspecter ; elle oblige les maçons de pendre des signaux dans les endroits où ils travaillent, pour avertir les passants et empêcher qu'ils ne soient tués ou blessés par la chute des pierres ou des plâtras. Comment un abus si incommode et souvent si funeste n'a-t-il pas encore attiré son animadversion ? Comment n'a-t-elle pas encore promulgué une loi qui prescrive aux citoyens auxquels l'aisance ou

---

* Jacques Dumoulin (1666-1755) fut en son temps « le premier des médecins de Paris pour la réputation » (Edmond Jean François Barbier, *Chronique de la Régence et du règne de Louis XV*, Paris, Charpentier, 1857-1866). Protestant converti au catholicisme, il fut parfois appelé à la Cour et son art lui rapporta beaucoup d'argent. Les anecdotes sont nombreuses sur ce praticien qui envoyait ses malades respirer l'air du Palais-Royal chaque matin jusqu'à guérison.

l'opulence ont permis le luxe des voitures une marche plus humaine, moins importune et moins dangereuse pour les autres citoyens auxquels la misère ou la médiocrité l'ont interdit ? Le peuple est forcé de regretter ces temps encore peu reculés où le chancelier de France* allait sur une mule et où le premier président**, en donnant un de ses domaines à ferme, insérait dans le bail la clause que le fermier serait tenu tous les dimanches d'envoyer au château sa charrette avec de la paille fraîche pour mener Mme la Présidente à la messe.

Quelque méchant ne manquera pas de dire que ces réflexions sont d'un homme réduit à aller à pied : cela est vrai ; elles sont d'un philosophe, mais l'humeur ne les aurait point suggérées au piéton si la justice et l'honnêteté les avaient dictées aux gens à équipage.

---

* Incarnation de la justice du roi, il était le premier des grands officiers de la Couronne.

** Le premier président du parlement de Paris, cour de justice supérieure, était le deuxième magistrat de France après le chancelier.

Des courtisans

Les grands sont à peu près les mêmes partout : il y a entre eux peu de nuances, et ce que je dirai des nôtres convient assez à ceux de tous les empires du monde.

Un grand, suivant la définition généralement reçue en France, est un individu qui réunit à la fois une naissance illustre, une éminente dignité, une vaste fortune : aucune de ces qualités, séparée et isolée, ne porte avec elle la qualification de grand, qui n'appartient qu'à l'assemblage de toutes ces choses dans la même personne.

Les gens de cour auxquels il manque quelqu'un de ces avantages travaillent infatigablement à se le procurer, tentent pour cela toutes les voies permises et défendues. Ils sont communément peu délicats sur le choix des moyens ; plusieurs usurpent des noms, achètent des dignités, ravissent des places, élèvent des fortunes en accumulant des biens mal acquis et des grâces surprises à l'incurie, ou arrachées à la faiblesse : ils épuisent pour parvenir à leurs fins les vertus et les vices ; les vertus dans les commissions, les vices dans les intrigues.

On voit ces mêmes hommes nobles, généreux, magnanimes, bienfaisants dans les commandements, les ambassades et les voyages, vils, bas, rampants, fourbes, méchants, quelquefois cruels dans le tourbillon : on dirait que les vices inséparables de la Cour prennent congé d'eux quand ils en sortent et les attendent à leur retour ; et les vertus qui pénètrent rarement dans cette atmosphère dangereuse, ou qui y séjournent peu quand le hasard les y introduit, les accompagnent lorsqu'ils s'en éloignent, et les abandonnent dès qu'ils songent à s'en rapprocher.

L'unique occupation des grands est de plaire au maître : sa faveur est leur plus ardent désir, sa disgrâce leur plus grande crainte, l'éloignement de sa personne et des affaires, le supplice le plus cruel qu'ils puissent endurer. Ils flattent, ils caressent, ils encensent le favori ; ils méprisent, ils insultent, ils accablent le disgracié avec une égale bassesse. Comme ils tendent tous au même but, ils sont tous rivaux, et par conséquent toujours ennemis, ou toujours prêts à le devenir. On les voit sans cesse occupés à se nuire, à se détruire les uns les autres. Un général retourne après une glorieuse expédition, un ambassadeur revient rendre compte d'une négociation adroite et heureuse : ils sont encore incertains de l'accueil qu'ils recevront, celui de la Nation ne peut pas leur en être garant ; il dépend de l'aspect sous lequel leurs ennemis, leurs envieux, un ministre duquel ils auront été forcés de se plaindre, auront présenté au roi, en leur absence, le tableau de leurs opérations.

Les grands n'affectent, les uns envers les autres, les dehors de l'amitié que lorsque des ménagements nécessaires et momentanés l'exigent. L'intérêt seul peut cimenter entre eux des liaisons passagères dans lesquelles le sentiment n'entre jamais pour rien : ils ne se réunissent et ne se prêtent une assistance réciproque que lorsqu'ils ont besoin de secours mutuels. Le favori du moment croit utile à ses vues de mettre dans une grande place un homme à sa dévotion : il jette les yeux sur celui qu'il croit le plus attaché à son parti ; il intrigue, il cabale pour faire pencher vers lui le choix du monarque. Mais sa créature a été à peine installée qu'elle emploie tout le crédit et la prépondérance que lui donne cette place pour culbuter et écraser son bienfaiteur, qui lui impose des lois trop dures, et lui rend le joug de la reconnaissance pesant et fastidieux ; le bienfaiteur, de son côté, s'efforce bientôt de détruire son ouvrage, de renverser l'édifice qu'il a élevé et d'anéantir une masse sur laquelle il espérait d'appuyer ses projets, et qui n'a servi qu'à barrer sa marche.

Les mœurs des grands sont toujours celles du prince ; aussi, dans le cours d'un long règne, voit-on changer plusieurs fois le tableau des mœurs. La vie d'un souverain qui pousse sa carrière au terme ordinaire offre communément quatre époques principales, ou quatre règnes différents : le règne des maîtresses, celui des ministres, celui du médecin et celui du confesseur.

Le prince, dans son jeune âge, se laisse-t-il entraîner par l'attrait des plaisirs ? S'abandonne-t-il aux délices que lui offre une Cour brillante ? Ses dérèglements autorisent ceux des grands qui l'entourent ; ils s'empressent à l'envi, pour lui plaire, d'approuver et d'imiter ses désordres : on voit le faste, la dissipation, le jeu, la licence et la débauche régner à la Cour.

Les dégoûts de la satiété, le jugement qu'un âge plus mûr amène quelquefois rendent-ils à l'État un roi que les égarements de la jeunesse lui avaient enlevé ? Commence-t-il de montrer quelque application aux affaires, quelque désir de prendre les rênes du gouvernement ? Les courtisans jouent un autre rôle : tous ces libertins se transforment tout à coup en hommes d'État, prennent le masque imposant de la gravité, les dehors trompeurs de la sagesse, le vernis éblouissant du mérite ; tâchent de faire briller des talents, de manifester des connaissances, affichent des prétentions, sollicitent de pénibles commandements, des commissions délicates, et s'efforcent de parvenir à la faveur par le fastueux étalage d'un zèle ardent pour le bien de l'État. Les uns réussissent, les autres échouent, et après s'être longtemps tourmentés ne recueillent d'autre fruit de leurs peines que le désespoir d'avoir sacrifié la jouissance réelle du plaisir à la vaine poursuite de la fortune.

« Savez-vous l'espagnol ? demanda un jour Louis XIV à un de ses courtisans.

– Non, Sire, répond l'homme de cour, mais je l'apprendrai. »

Cet homme, persuadé que le Roi le destine à l'ambassade d'Espagne ou à quelque autre importante commission qui exige la connaissance de cette langue, travaille sans relâche, deux ans, à l'apprendre ; et quand il croit la posséder, il court en faire part au Roi.

« Je vous en félicite, lui dit Sa Majesté : vous aurez le plaisir de lire *Don Quichotte* dans son original. »

Le souverain avance en âge ; il ressent les infirmités qui annoncent la vieillesse. Voilà

tous les courtisans devenus subitement caco-
chymes ; ils n'osent plus se bien porter, ni présenter à la Cour une santé triomphante. Ceux
qui ont le malheur d'être affligés d'une bonne
constitution ne s'y montrent qu'après avoir fait
un voyage aux eaux de Spa et de Plombières ;
ont soin de supposer des incommodités, de
parler souvent de leurs maux, de leurs remèdes,
de leurs médecins, et surtout de ne jamais citer
ceux qui peuvent déplaire au médecin du roi,
dont le règne a commencé à l'époque où a fini
la santé du monarque.

La caducité arrive : les infirmités multipliées
avertissent le prince qu'il touche à son dernier
terme ; il voit approcher le moment fatal où il
doit aller rendre compte de ses actions au Roi
des rois ; il a un retour vers l'éternité. Déjà des
prédicateurs enflammés du zèle évangélique, ou
du désir de s'élever aux dignités de l'Église,
osent par des paraboles adroites, des allégories
ingénieuses, reprocher des égarements passés,
tonnent contre les dérèglements d'une Cour
licencieuse et corrompue, ne craignent point
de faire éclater dans les fonctions de leur saint
ministère un courage noble qui, en affligeant
le monarque par de salutaires vérités, obtient
presque toujours son estime. La scène change :
l'hypocrisie s'y montre revêtue de tous les
dehors du recueillement et de l'austérité. À la

parure la plus recherchée succède un extérieur simple et modeste : on ne voit plus à la Cour que des yeux baissés, des cols tordus, des têtes penchées ; on n'y parle plus que d'exercices de piété. Les couples les plus désunis se rapprochent et vivent sous le même toit ; les plus grandes dames affectent de nourrir elles-mêmes leurs enfants. Les dettes se paient ; on abandonne les spectacles ; on fréquente les églises, les heures, les semaines saintes, *L'Imitation de Jésus-Christ* ; les livres de morale et de religion prennent la place des brochures, des romans et des livres obscènes sur les cheminées, sur les toilettes et dans les boudoirs. Heureusement pour les gens de cour, ce dernier rôle, cette pénible et ennuyeuse représentation ne sont pas de longue durée.

On peut dire enfin que les grands n'ont que des mœurs de convenance, et rarement des mœurs de principes. Entièrement livrés à l'art, à la feinte, à la dissimulation, toujours occupés à se contrefaire, toujours comédiens, leur âme se rend peu à peu inaccessible aux sentiments de la nature : ils jouent tout, et ne sentent rien. Les douceurs de l'amitié, les délicieux épanchements de la cordialité leur sont inconnus : ils ne les goûtent pas même dans le sein de leurs familles. Les parents les plus proches, étrangers les uns aux autres, ont proscrit parmi eux les noms doux et sacrés de père et de mère, de fils et de fille, d'époux et d'épouse, de frère et de sœur, et leur ont substitué les froides qualifications de Monsieur, Madame et Mademoiselle, qui portent avec elles l'empreinte glacée de l'indifférence. Le plus léger intérêt les brouille et les divise, leur fait briser les liens les plus sacrés, enfreindre les devoirs les plus inviolables. On se souviendra que sous le règne précédent on a vu à la Cour un fils choisir son père pour plastron de ses bons mots et de ses plaisanteries, se permettre contre lui les sarcasmes les plus mordants. Ne rappelons point une foule de traits connus, et bien plus criminels encore, qui feraient rougir l'humanité.

Les soins dévorants de l'ambition, les espérances, les craintes, les sollicitudes, les tribulations inséparables de l'état du courtisan ; l'attention qu'il doit avoir de profiter de tout ce qui peut le conduire à la faveur, d'éviter les pièges qu'on lui tend, de parer et de riposter les coups qu'on lui porte ; les mortifications qu'il éprouve souvent à la Cour, les dégoûts d'un éternel esclavage : tout cela tient les grands dans une perpétuelle contention qui les prive de toutes les jouissances et leur fait traîner des jours malheureux. Leur continuelle agitation est une preuve de la mortelle langueur qui accable leur âme ; ils ne sont jamais bien qu'où ils ne sont pas. Sont-ils de service à Versailles ? Ils viennent tous les jours à Paris. Reviennent-ils à Paris après l'expiration de leur quartier* ? C'est pour aller tous les jours à Versailles.

On voit un grand revenir le matin de la Cour, où il a passé la nuit, se mettre en chenille**, enfourcher un cheval et faire par les boulevards le tour de la ville, descendre de cheval pour monter dans un cabriolet, ou courir à pied tout Paris sans le moindre dessein, retourner à l'hôtel, faire mettre les chevaux, et aller dîner à six lieues dans une maison de campagne, en revenir le soir pour se montrer dans la plus élégante parure à trois ou quatre spectacles, aller faire une partie de jeu et perdre son argent chez un prince, souper chez une maîtresse qui a passé la journée dans les bras d'un autre amant, et rentrer enfin fort avant dans la nuit, tout étonné d'avoir inutilement couru après le plaisir qui n'a cessé de fuir devant lui, et de n'avoir rapporté de toutes ses courses que l'ennui qui l'a suivi en croupe.

---

* Durée de trois mois d'une charge remplie à tour de rôle.

** Outre une « passementerie veloutée de soie » et une « étoffe pareille à cette sorte de passementerie », ce nom désignait « un habillement négligé que les hommes portaient avant de faire leur toilette » (Émile Littré, *Dictionnaire de la langue française*, 1863-1877).

Je rapporterai une anecdote qui n'est peut-être pas entièrement étrangère à ce qui précède ; elle a trait à la façon de penser de nos grands, relativement aux alliances. Un homme titré et fort riche qui en avait contracté une des plus brillantes de l'Europe me protestait un jour qu'il en était fâché, et qu'il aurait préféré quelque parti roturier qui eût immensément augmenté sa fortune. Il m'en donna la raison :

« Une alliance éclatante, me dit-il, ajoute peu de chose au lustre d'un très grand nom. Une femme qui verse dans une maison déjà puissante d'immenses richesses lui donne une consistance qui la met à même de parvenir à quelque souveraineté, et de profiter peut-être de quelqu'un de ces moments heureux qui ont produit les révolutions les plus inattendues. »

Après avoir examiné les grands relativement à leur état de courtisans, entrons dans quelques détails de leur vie privée, et voyons s'ils y trouvent des agréments capables de racheter l'ennui et les dégoûts qu'ils éprouvent dans le cours de leur vie publique.

Leur faste leur est pesant et importun ; ils le regardent comme une charge de leur état. Ils ont de brillants équipages, de superbes chevaux, de nombreux domestiques, et on les voit très souvent courir seuls à pied dans le plus grand négligé. Ils ont de magnifiques palais, de vastes et nombreuses pièces ornées, décorées avec toute la magnificence, le goût et la recherche possibles ; et plusieurs se logent pour leur commodité dans des entresols ou dans les plus petits appartements de leurs superbes hôtels. Ils ont des tables splendidement servies et sont presque tous au régime. Ils semblent reconnaître et avouer publiquement qu'un immense superflu n'ajoute rien au bonheur réel de la vie et ne fait qu'amener au galop la satiété qui éteint en un instant toutes les jouissances.

Ils goûtent peu de consolations dans l'intérieur de leurs familles, où les sentiments de la nature n'ont presque point d'accès : les parents ne se réunissent que lorsqu'ils sont forcés de s'entendre et de se liguer pour l'intérêt commun, lorsqu'il est important qu'ils forment une masse prépondérante de crédit pour détruire un concurrent dont ils redoutent la faveur, pour faire renvoyer un ministre dont ils ont à se plaindre ; mais la division recommence dès que l'objet est rempli. Ils sont également privés des douceurs de l'amitié : presque toujours rivaux et concurrents les uns des autres, ils n'ont jamais d'amis chez leurs égaux ; ils pourraient s'en faire dans le nombre de leurs inférieurs et de leurs clients, mais malheureusement entre inégaux il n'y a jamais de société.

Ils ont des maîtresses, plus souvent par faste et par air que par goût et par inclination : c'est une partie de leur luxe, et ce luxe est ordinairement très cher. Une seule actrice de l'Opéra un peu célèbre coûte à Paris à un seigneur exténué, qui n'a plus la faculté d'en user, plus que ne coûte en Turquie un nombreux sérail à un vigoureux pacha qui en abuse ; et ce même seigneur français, en dérangeant sa fortune pour satisfaire la vanité, les fantaisies, les caprices de cette courtisane, a la douleur de voir sa bien-aimée verser d'une main, sur un véritable amant dont elle raffole, les libéralités qu'elle reçoit, de l'autre, d'un entreteneur qui lui est odieux.

Il y a parmi les grands peu ou point de véritables amateurs des sciences et des arts ; s'ils se plaisent à employer les talents des célèbres artistes, et à en être entourés, c'est pour se donner un air de mécènes. Ils sont on ne peut plus flattés lorsqu'ils reçoivent quelque hommage, quelque distinction de la haute littérature, mais foncièrement ils n'en détestent pas moins les lettrés. Ils leur portent envie, et sont au désespoir que des gens qui n'ont ni dignités, ni places, ni titres, ni décorations fassent plus de bruit qu'eux dans le monde ; ils les craignent, mais ils les caressent, parce qu'ils savent que ce sont ces hommes qui élèvent et renversent les réputations. Croirait-on qu'un grand seigneur n'a pu s'empêcher de laisser échapper des mouvements de jalousie du triomphe de Voltaire, et a osé témoigner qu'il regardait comme une profanation l'usage des lauriers dont on avait formé sa couronne ?

Blasés de très bonne heure sur tous les plaisirs, il ne leur reste plus guère, à un certain âge, d'autres amusements que le jeu qui les dérange, les maîtresses de faste dont ils ne peuvent jouir et qui achèvent de les ruiner, les veilles qui les épuisent, les spectacles qui les ennuient et où ils vont moins pour voir que pour être vus.

Ils sont chez eux d'un difficile accès : leurs portes sont presque toujours consignées ; ils n'aiment pas à être vus dans leur intérieur, si ce n'est par le petit nombre de gens auxquels ils ont quelque confiance, ou dont ils ne peuvent se passer. Souvent, dans quelque réduit de leurs palais, ils cachent des infirmités dont la publicité leur serait nuisible ; ils dévorent des chagrins, ou en préparent à leurs ennemis ; ils cèlent des sollicitudes et des tribulations qu'il serait dangereux pour eux de manifester. Leur vie publique, enfin, est trop mêlée de dégoûts et d'amertume pour ne pas empoisonner leur vie privée : ceux qui n'ont point fait d'éclatantes actions, qui ne sont point payés de leur agitation continuelle, de leurs peines, de leurs travaux par les succès de l'ambition ou les

71

douceurs de la gloire, après avoir vécu malheureux meurent presque entièrement ignorés.

Grands, voilà votre portrait ; il n'est pas flatté, mais malheureusement il est ressemblant. Corrigez-vous ; tâchez de donner un démenti au peintre, qui sera charmé de pouvoir se rétracter. Il y a parmi vous un petit nombre d'hommes dont les âmes grandes, nobles et généreuses n'ont jamais été infectées du venin de la corruption, dont la vertu inébranlable a toujours résisté à la contagion générale : prenez-les pour modèles ! Gouverneurs, allez dans vos provinces faire le bonheur des peuples, dont le soin vous a été confié ! Évêques, allez dans vos diocèses conduire et soulager les brebis dont vous êtes les pasteurs ! Colonels, allez à vos régiments apprendre votre métier, connaître les officiers et les soldats que vous commandez ! Vils esclaves, bas valets à la Cour, allez dans vos places jouir d'une félicité réelle et de la véritable grandeur ! Renoncez à une honteuse faveur, acquise par la flatterie et la souplesse ; forcez le monarque, par l'élévation de vos sentiments, l'éclat de vos exploits, l'utilité de vos services, à vous accorder des distinctions honorables ; tâchez de mériter l'estime et la vénération publiques, qui peuvent seules faire le bonheur de votre vie et porter votre nom à la postérité.

De l'attachement pour les chiens

Je connais parfaitement, et respecte on ne peut davantage, le contrat social qui unit l'homme et le chien ; je le crois presque aussi ancien et plus religieusement observé que celui qui lie l'homme et la femme.

C'est de ce contrat sans doute que découle le devoir sacré que l'homme s'est imposé de regarder toutes les injures faites à son chien comme personnelles à lui-même, et de défendre au péril de sa vie celle de l'animal que la nature paraît avoir créé pour être son plus fidèle compagnon. C'est dans ce contrat qu'on trouve le principe des préférences que la femme marque à son chien ou à sa chienne sur tous les individus de sa propre espèce. Tel homme éluderait par une plaisanterie adroite ou une saillie ingénieuse une affaire pour soutenir l'honneur et la réputation de son épouse, qui ne balancerait pas un instant de se battre au dernier sang pour venger une insulte faite à son chien ; une femme qui ne donnerait pas une larme à la mort de son mari ou de son fils, tués dans une bataille, pleure amèrement la perte de sa petite chienne, crevée d'une indigestion, et que tout l'art et les soins de son médecin n'ont pu sauver.

Pendant la guerre de 1744*, un homme allant faire visite à une dame de la Cour du plus haut rang, le jour même où l'on venait de recevoir l'avis d'une grande action, la trouva tout éplorée et lui demanda en tremblant si elle avait reçu quelque mauvaise nouvelle de M. le Duc son mari ou de M. le Prince son fils ?

« Eh ! mon Dieu ! non, lui dit-elle, c'est ma petite maltaise** que je pleure. M. le Duc et M. le Prince se portent bien l'un et l'autre, et quand ils auraient été tués, ils sont faits pour ça. Ils courent des hasards, on s'attend à ces choses-là ; mais on ne s'attend pas à perdre une pauvre petite bête pour laquelle on n'a rien négligé, et dont la conservation a coûté tant de soins. »

---

* Le 15 mars 1744, Louis XV déclara la guerre à l'Angleterre et à l'Autriche dans le contexte d'un long conflit à l'échelle européenne, la guerre de Succession d'Autriche (1740-1748).

** Bichon maltais.

La race canine s'est assurément distinguée dans tous les siècles ; ses titres sont brillants, nombreux et incontestables : plusieurs chiens renommés comme ceux d'Ulysse et d'Évandre, chantés par Homère et par Virgile, l'ont illustrée dans la fable et dans l'Antiquité ; le chien de Tobie dans l'ancienne Loi, celui de saint Roch dans la nouvelle. On a raconté dans tous les temps des traits saillants et héroïques d'une foule d'autres chiens moins connus parce qu'ils ont appartenu à des maîtres moins célèbres. Je suis persuadé que, si cette espèce avait pu parvenir à parler, même sans savoir ce qu'elle dit, elle aurait eu part aux grandes affaires, et influé prodigieusement à la distribution des grâces. J'ai connu un client qui avait capté la bienveillance et la protection d'une dame d'un grand crédit par des témoignages d'attachement et des attentions marquées à propos à sa petite chienne.

J'ai toujours été grand amateur des chiens. Je suis enchanté de la fidélité reconnue de l'espèce. Je suis le plus sincère admirateur de la beauté du danois, du courage du dogue, de l'esprit du barbet, de la vélocité du lévrier, de la finesse d'odorat du braque, de la bizarre tournure du chien-loup, des services utiles du chien de berger, du chien de boucherie, du chien de grange, même du chien du jardinier. Je ne désapprouve pas que l'homme aime le chien, le nourrisse, le caresse, emploie toutes les voies raisonnables pour sa défense, le faire guérir de ses infirmités : je ne suis pas fâché qu'un homme célèbre ait fait une immense fortune en les traitant. Si je croyais même qu'une académie et une école vétérinaire pussent contribuer à prolonger la vie et à maintenir la santé de ces utiles et estimables animaux, j'en donnerais, tout à l'heure, le plan le mieux raisonné, et je briguerais pour leur illustre médecin la place de secrétaire perpétuel : elle serait plus analogue à son état que le fief noble qu'il a acheté du produit de ses cures.

Enfin, j'aime de tout mon cœur, j'estime autant qu'il est possible un chien qui est dans son état ; mais je n'aime pas qu'on l'en laisse ou qu'on l'en fasse sortir. Je vois avec peine que cet animal qui, de sa nature, est doux, honnête et d'un bon commerce soit rendu, par l'orgueil, le faste ou les complaisances mal entendues de certains hommes, méchant, insolent, dangereux, incommode ou dégoûtant pour les autres ; et j'avoue ingénument que l'amour de l'homme marche chez moi avant celui du chien.

Je ne m'offense pas de trouver dans l'antichambre d'un grand deux beaux danois avec des colliers au nom et aux armes de leur maître :

ils font partie de son luxe et de son ameuble-
ment. Mais je suis courroucé quand je vois ces
mêmes danois, dans les rues, précéder son carrosse, sauter sur les passants pour les faire
ranger, leur causer un effroi subit qui peut
prendre sur leur tempérament, déchirer ou
tacher leurs habits, souvent même les renverser
dans la boue, et les exposer à être écrasés par
la voiture.

J'aperçois sans aucune peine, dans la cour
d'un grand hôtel, un dogue de mauvaise
humeur se promenant à pas lents et la tête
basse : c'est une espèce d'enseigne qui annonce
qu'un personnage considérable occupe ce vaste
palais. Mais je suis indigné si je vois ce dogue
mordre un misérable qui demande la charité
ou un peu de nourriture, et qui se serait
contenté, non pas des restes du maître, mais de
ceux du chien.

J'ai le plus grand plaisir quand je rencontre
un barbet marchant devant son maître et portant entre ses dents, pour l'éclairer, un bâton
au bout duquel pendent deux petites lanternes ;
mais je donne volontiers des coups de canne à
ce même barbet si je le surprends volant un
gigot de mouton ou une poularde à un pauvre
rôtisseur pour faire souper un escroc aux dépens
de cet honnête artisan.

Je souffre de voir une jeune et jolie femme faire lit et appartement à part avec son mari, et partager sa couche avec un gros vilain barbiche* que son cul tondu et sa crinière pendante font ressembler parfaitement à un lion, et que son effrayant aspect, ses yeux chassieux et la puanteur de son haleine rendent on ne peut pas plus dégoûtant. Je suis encore plus piqué quand je vois, le lendemain, cette belle dame rendre aux honnêtes gens qui vont lui faire la cour toutes les puces que ce mâtin lui a données.

Je m'écarte de vingt pas dans la rue d'un brétailleur** que je rencontre suivi d'un chien, parce que je sais qu'il ne le mène avec lui que dans l'espoir de se faire une querelle et de pouvoir tuer, avec une sorte d'impunité et dans toutes les règles de son art meurtrier, un pauvre honnête homme qui aura eu le malheur de heurter son chien.

Je suis vraiment scandalisé quand je vois à table une grande dame causer la nausée à ses convives en faisant manger malproprement son épagneul ou son doguin sur son assiette, et lui servir un filet de chevreuil, une aile de faisan

---

* Petit barbet, sorte d'épagneul à poil long et frisé.
** Se disait, assez péjorativement, d'un homme fréquentant beaucoup les salles d'armes et tirant l'épée à tout propos.

ou une carcasse de gélinotte, tandis qu'on chasse de sa porte le pauvre qui demande du pain.

J'avouerai aussi que je n'aime point qu'on prostitue les noms des grands hommes en les donnant à des chiens : je me mettrais volontiers en colère quand j'entends appeler un chien César ou Pompée. Les Orientaux regardent cet abus comme une profanation et ne donnent jamais à leurs chiens que des noms tirés de leur couleur ou de leur forme : tous les chiens noirs s'appellent Arabe, tous les chiens blancs Coton ; ainsi des autres. La conformité des noms de quelques grands princes avec ceux de nos saints les a sauvés de cet opprobre : on n'ose pas appeler un chien Philippe, Alexandre, Constantin, Charles, Pierre ni Louis.

Un sultan tartare, prince de beaucoup d'esprit et très aimable, qui avait voyagé longtemps en Allemagne et en Pologne, avait deux lévriers favoris dont il avait nommé l'un Georges et l'autre Martin. Un Français qui était aimé de ce prince lui dit un jour en plaisantant qu'il était scandalisé de trouver deux de ses saints dans sa meute.

« Passez-le-moi, lui répondit le sultan. J'ai trouvé dans les pays chrétiens tant de chiens appelés Mahomet, Moustapha et Soliman que j'ai cru pouvoir me donner la douceur de cette petite vengeance. »

La manière de se conduire des Turcs envers les chiens est mieux vue et plus décente que la nôtre. Le contrat social existe entre eux comme partout, mais ils ne lui donnent pas tant d'extension : ils entretiennent autant de chiens que nous, les emploient aux mêmes usages, en tirent les mêmes services, font de plus des fondations publiques pour la nourriture et le soulagement de ces animaux domestiques ; mais ils ne poussent jamais envers eux la complaisance jusqu'à souffrir ni faire souffrir aux autres leur incommodité. Imitons les musulmans en ce point ; la plupart des hommes sont, en vérité, assez vexés par leurs semblables sans qu'on doive encore les livrer aux chiens.

[Tableau des femmes du monde divisées par classes *]

Saint Antoine de Padoue prêchait aux poissons qui ne l'entendaient pas. Un homme de

---

* Dans son *Anthologie érotique. Le XVIIIe siècle* (Paris, Robert Laffont, « Bouquins »), Maurice Lever republiait en 2003 *Les Sérails de Paris, ou Vies et portraits des dames Pâris, Gourdan, Montigny et autres appareilleuses. Ouvrage contenant la description de leurs sérails, leurs intrigues et les aventures des plus fameuses courtisanes...* (Paris, Hocquart, 1802). Ce livre avait paru sans nom d'auteur. « Nous pensons, écrivait Maurice Lever, qu'il s'agit d'une de ces compilations, assez nombreuses, dans lesquelles des imprimeurs indélicats reprenaient des textes déjà publiés ailleurs. » Il avait lui-même identifié la source de trois des chapitres, avant de conclure : « Pour le reste, c'est-à-dire pour l'essentiel de l'ouvrage, le mystère demeure entier. » Eh bien il n'est plus si entier : le chapitre XVII des *Sérails de Paris* cite certes un passage du *Tableau de Paris* de Louis Sébastien Mercier (1781-1787), mais pour le reste c'est le plagiat presque parfait de ce n° 15 (*Les Numéros*, Première Partie, 1re édition, 1782, p. 188-214). On espère avoir un peu vengé ce dernier en plagiant à notre tour une partie du titre dudit chapitre des *Sérails de Paris* (« Tableau des femmes du monde divisées par classes suivant leur beauté,

qualité d'une des provinces méridionales de la France prêchait aux filles publiques qui ne l'écoutaient guère : elles prenaient son argent, riaient de ses sermons et continuaient le même train de vie.

Pour moi, je ne prêche à personne, mais je suis occupé depuis quelque temps à suivre toutes ces créatures avec la plus grande assiduité : je n'exerce pas chez elles l'apostolat, mais j'étudie leur morale, je tâche de connaître à fond leurs différents caractères. J'ai contracté quelques liaisons avec des filles entretenues du plus haut rang, qui me permettent d'aller jaser avec elles une demi-heure à leur toilette. Je passe plusieurs soirées dans la semaine à parcourir les allées les plus détournées, les plus sombres bosquets de diverses promenades, pour trouver à converser avec toutes ces beautés nocturnes qui cherchent des aventures. Je me promène très souvent la nuit dans la rue Saint-Honoré, dans les traverses qui aboutissent au Louvre, dans le circuit de la halle au blé et dans tous les quartiers renommés où ces sortes de rencontres sont les plus fréquentes.

Le libertinage des femmes publiques n'a pas toujours sa source dans la lubricité. Quelques-

---

leurs talents et leur fortune, d'après les observations d'un amateur », *Anthologie érotique...*, *op. cit.*, p. 925-932).

unes d'entre elles ont été sans doute plongées dans la débauche par la violence d'un tempérament impérieux, par l'impossibilité de vaincre la nature et de dompter des désirs effrénés qui, au lieu de s'amortir, s'irritent par la jouissance ; mais la pauvreté, l'universalité du luxe, la gêne, les dégoûts domestiques, les mauvais traitements des parents, l'amour sincère trahi par un amant perfide, la jeunesse abusée par l'art infernal des matrones* sont les causes de la chute du plus grand nombre de ces infortunées.

Pendant près de six mois que j'ai consacrés à l'étude de cette espèce, j'ai recueilli une foule innombrable d'aventures qu'elles racontent presque toujours avec bonne foi et naïveté, quelquefois même avec esprit et avec grâce ; j'ai reconnu que la plupart d'entre elles avaient été entraînées par quelqu'un des motifs que je viens de rapporter. Je ne prétends point me rendre leur apologiste : j'ai rencontré parmi elles une foule de caractères vraiment méprisables et odieux ; mais je puis dire, avec vérité, que j'en ai trouvé quelques-unes d'estimables dans leur genre, et beaucoup d'autres qui étaient plus dignes de compassion que de mépris. Cette classe de femmes est le rebut d'une excellente

---

* On les appelait « mères abbesses » ou « mamans ».

marchandise, dans lequel, par une triaille exacte, on peut trouver encore des morceaux de quelque valeur.

Les femmes du monde peuvent être divisées en différentes classes qui sont même susceptibles de plusieurs subdivisions ; en voici le tableau le plus exact.

La première classe est celle des femmes mariées du haut, du moyen et du bas étage, qui se livrent par intérêt ou par ambition à des grands et à d'autres personnages considérables, ou qui tirent d'un ami de la maison, pour lequel elles ont des bontés, de quoi fournir à leur faste, à leur luxe et à leurs caprices ; leurs dérèglements sont soufferts, souvent même autorisés par des maris infâmes qui en partagent les bénéfices. Quelques-unes de ces femmes acquièrent et conservent du crédit qu'elles vendent assez communément aux gens qui ont la bassesse de s'adresser à elles pour obtenir ou usurper des grâces.

On peut ranger dans la seconde classe les comédiennes, dont l'entretien est à différents taux, suivant les théâtres où elles représentent et les rôles qu'elles y jouent* : les filles d'Opéra, subdivisées en danseuses, actrices, figurantes et

---

* « En contradiction avec la sévérité des lois, [...] il suffit de se faire inscrire dans l'un des trois théâtres du roi : la

filles des chœurs ; les actrices de la Comédie-Française, de la Comédie-Italienne et des spectacles des Boulevards. La prostitution de ces femmes nuit infiniment aux hommes qui exercent la même profession : je la regarde comme la véritable source du mépris public et de l'avilissement de l'état de comédien.

Les femmes entretenues forment la troisième classe et sont subdivisées en filles ayant maison meublée, équipage et chevaux à elles ; filles ayant appartement meublé, équipage à elles et chevaux de remise ; filles dans leurs meubles, sans équipage ; filles entretenues en chambre garnie ; filles établies en ménage avec leurs entreteneurs ; et filles gouvernantes vivant avec des garçons, et qu'on peut appeler servantes-maîtresses.

C'est dans ces trois premières classes que j'ai trouvé les caractères les plus atroces : l'ambition, l'orgueil, l'arrogance, l'avidité, l'escroquerie, la fausseté, la ruse, la simulation, l'infidélité, la trahison, la noirceur, la cruauté même sont les vices qu'elles réunissent presque

Comédie-Française, le Théâtre-Italien ou l'Opéra. On entre alors au service du souverain, et l'on échappe définitivement à toute forme d'arbitraire, familial ou policier. » (Maurice Lever, *Anthologie érotique. Le XVIIIe siècle*, Paris, Robert Laffont, « Bouquins », 2003, p. 496.)

toutes ; et si elles ne les manifestent pas, ce n'est que faute d'occasions. Ce sont des Circés enchanteresses, qui emploient tous les artifices imaginables pour séduire, attirer et ruiner complètement un malheureux qui tombe dans leurs filets, et qu'elles chassent sans pitié quand elles l'ont pressuré de manière à n'en pouvoir plus rien extraire.

On dit ordinairement que l'exemple de Fabert et de Catinat* a fait casser bien des têtes et qu'il n'y a pas de sous-lieutenant d'infanterie qui ne voie de temps en temps, en rêve, le bâton de maréchal de France. Un exemple vraiment étrange du caprice de la Fortune n'a pas fait casser mais a tourné les têtes de toutes les femmes publiques : il n'y a pas une de celles dont je viens de parler qui n'espère un jour de gouverner la France.

« Sachez, monsieur, disait, il y a quelques mois, Mlle N. à son cocher, que j'ai renoncé aux grandeurs, au faste et aux pompes de ce monde. Je ne veux plus être Mlle N., je ne veux être qu'une petite particulière, une petite bourgeoise. Je vous défends d'aller un train qui puisse incommoder personne ; je vous défends

---

* Les maréchaux de France Abraham de Fabert (1599-1662) et Nicolas de Catinat (1637-1712), passés à la postérité pour leur grandeur de caractère.

de disputer le pas à aucune voiture, et je vous chasserai sur l'heure si vous osez vous écarter de la conduite que je vous prescris. » Mlle N. veut absolument mettre de la dignité dans son état, et a la prétention d'être dame de paroisse. Mlle N. dit un jour en grande compagnie que les comédiens devraient être élevés sur les genoux des rois.

Tout le monde a vu le faste insolent de feu Mlle Deschamps*, les falbalas de dentelles d'Angleterre qui bordaient les bourrelets de sa chaise percée, le corbillard dans lequel elle fit porter sa mère à la sépulture et la voiture avec les harnais en strass qu'elle avait fait faire pour Longchamp, et dans laquelle le lieutenant de police lui défendit de se montrer. Personne n'ignore toutes les friponneries qu'elle a faites

---

* Marie Anne Pagès, dite Mlle Deschamps (1730-1764), danseuse de l'Opéra, « a été maîtresse de M. le duc d'Orléans, et depuis de plusieurs autres, entre autres de M. Brissart, fermier général, qui a, dit-on, mangé avec elle plus de cinq cent mille livres. Elle a tiré des sommes considérables de tous ceux avec qui elle a été en intrigue » (Edmond Jean François Barbier, *Chronique de la Régence et du règne de Louis XV*, Paris, Charpentier, 1857-1866). Ses nombreuses sources de revenus n'empêchèrent pas Mlle Deschamps de s'endetter au point de devoir mettre en vente son mobilier en avril 1760 : « Il y a eu un concours considérable de gens de considération, en femmes et en hommes, par curiosité, pour voir d'avance l'appartement, les meubles et les raretés en porcelaine. » *(Ibid.)*

avant sa mort et l'état de misère et d'opprobre dans lequel elle a fini sa carrière.

Je citerai deux traits d'escroquerie d'une fille à laquelle le goût passager d'un grand a donné de la célébrité. M. N., homme d'une laideur amère, fit un jour gageure d'obtenir pour cinquante louis les faveurs de Mlle N.*. Il lui envoya la somme et lui demanda un rendez-vous. La courtisane lui donna très bien à souper, et lui dit de se mettre au lit, pendant qu'elle ferait sa toilette. Cet amoureux en fit lui-même une fort recherchée, se parfuma, mit un magnifique bonnet de nuit, bordé de dentelles et attaché avec un ruban couleur de rose, qui faisait ressortir encore plus toute sa difformité. À peine fut-il couché que Mlle N. prit deux flambeaux, s'approcha du lit, considéra bien le galant tout étonné de cet examen et lui dit :

« Monsieur, ça n'est pas possible ; je ne pourrai jamais m'y résoudre. »

Elle le força de se lever, de s'habiller, fit venir un fiacre, et le renvoya impitoyablement chez lui sans lui rendre son argent.

---

* Dans cette anecdote telle qu'elle est recopiée par l'auteur ou l'éditeur des *Sérails de Paris* (voir note de la p. 81), on lit les noms de M. de Blausseman et de Mlle de Vambre.

Un financier*, homme d'un âge avancé, d'une figure grotesque, de la plus repoussante malpropreté, et épris des charmes de cette même personne, lui demanda un tête-à-tête et accompagna le billet doux d'un collier de diamants dont elle avait grande envie, et qu'elle avait même marchandé quelques jours auparavant. Elle le fit prier à déjeuner le lendemain ; et quand il voulut user des droits qu'il croyait avoir bien achetés, elle l'assura qu'elle aimait tendrement le collier qu'elle tenait de lui, mais qu'elle ne saurait avoir le moindre goût pour sa très dégoûtante personne. Elle garda le collier et éconduisit le galant sans lui accorder la plus petite faveur. Mlle N. ne manqua pas de faire publier à Versailles cette aventure qui divertit beaucoup toute la Cour.

Une autre fille pour qui un seigneur a eu un caprice voulut tirer parti de cette bonne fortune. Elle s'entendit avec un huissier ; et pendant que ce seigneur était chez elle, elle se fit apporter une sentence et un exploit** pour la saisie de ses meubles. Elle se jeta tout éplorée aux pieds du seigneur et le conjura de vouloir

---

* Voir note de la p. 100 sur la Ferme générale.
** « Acte que l'huissier dresse et signifie pour assigner, notifier, saisir. » (Émile Littré, *Dictionnaire de la langue française*, 1863-1877.)

bien la tirer de l'embarras où elle se trouvait pour une dette d'environ deux cents louis. Le seigneur, qui se douta de cette friponnerie, fut piqué de ce que cette fille, ne se rapportant point à sa générosité, avait voulu le mettre à contribution. Il feignit de la consoler, dit à l'huissier de différer l'exécution de vingt-quatre heures et l'assura qu'il arrangerait cette affaire d'une manière convenable. Il revint en effet le lendemain chez la fille, lui apporta un arrêt de défense* et lui dit qu'il n'avait rien imaginé de mieux pour la mettre à l'abri des poursuites de ses créanciers.

Ces anecdotes sont des échantillons de tous les vices que j'ai mis sur le compte des femmes entretenues. La vie des courtisanes célèbres en fournirait une foule d'autres qu'il serait trop long de rapporter.

La quatrième classe des femmes du monde est celle des bourgeoises, des ouvrières et des filles de boutique qui, après avoir fini leurs journées, vont sourdement passer la soirée chez des matrones. L'universalité du luxe est la seule et unique source du libertinage de ces sortes de femmes : les divers métiers qu'elles exercent

---

* « Celui qu'obtient un appelant pour empêcher l'exécution d'un jugement qui, sans cela, serait exécutoire nonobstant appel. » (*Larousse du XXe siècle*, 1928-1933.)

dans le jour leur fournissent le nécessaire animal ; elles vont chercher le soir de quoi fournir à la dépense de la parure, dont le luxe de tous les états a fait un véritable besoin. La vaste étendue de Paris leur donne mille facilités de dérober à leurs parents et à leurs connaissances l'irrégularité de leur conduite. Leurs dérèglements se perdent dans le chaos d'une ville immense ; elles conservent tous les dehors de l'honnêteté et de la décence, et trouvent souvent à se marier aussi bien que si elles avaient vécu comme des vestales.

La cinquième classe comprend les filles publiques en chambre garnie ne raccrochant point*. Elles distribuent et font distribuer des adresses ; elles vont chercher des pratiques aux spectacles des Boulevards et au Wauxhall** ; elles vont passer la soirée ou la nuit chez des matrones célèbres qui savent leurs adresses, les appellent au besoin, et les transforment en

---

* « Raccrocher », c'est faire le trottoir.

** Le nom propre de Wauxhall, célèbre jardin public londonien offrant feux d'artifice et autres attractions, devint un nom commun pour désigner sur le continent de vastes établissements où se donnaient des bals et des concerts. À Paris, le Wauxhall d'été de l'artificier italien Torre fut ouvert en 1764 sur le boulevard Saint-Martin et déménagea en 1785 rue Sanson (aujourd'hui rue de la Douane). En 1770 fut aussi ouvert le Wauxhall d'hiver, dans l'enclos de la foire Saint-Germain.

petites marchandes, en ouvrières, en villageoises nouvellement débarquées, suivant le goût et les demandes des différents amateurs.

Les filles établies dans les sérails forment la sixième classe : elles sont logées, nourries, blanchies, coiffées aux dépens de la matrone qu'elles appellent la mère ; celle-ci est, outre cela, obligée de leur fournir un déshabillé blanc pour porter dans la maison, un mantelet pour l'été, une pelisse et un manchon pour l'hiver, et de leur louer des robes à forfait dont elles se parent en ville jusqu'à ce qu'elles aient besoin d'être décrassées. Elles travaillent pour le compte de la mère et n'ont pour elles d'autre bénéfice que les rubans ; c'est le terme technique par lequel on entend les générosités du chaland qu'on appelle le coucheur.

Dans la septième classe, enfin, sont les raccrocheuses : il y en a de plusieurs espèces, [dont] les filles qui font raccrocher ou raccrochent elles-mêmes pour le compte d'une matrone. Elles sont obligées de partager le profit avec elle, de lui payer en outre trois ou quatre francs par jour pour leur logement et leur nourriture, et de donner de leur portion les deux sols pour livre à la servante, sur la totalité des bénéfices. Il y a, outre cela, les raccrocheuses qui font raccrocher par leurs bonnes ou raccrochent elles-mêmes, et mènent les pratiques chez elles et pour leur compte. On peut aussi comprendre dans la même classe les raccrocheuses honteuses, dont les unes raccrochent pour l'absolu besoin, les autres pour le superflu. Celles-ci ne s'arrêtent point dans les rues ; on les voit rarement dans les grandes allées des promenades ; elles se tiennent dans les allées peu fréquentées et les bosquets ; elles ne s'adressent jamais aux jeunes gens et n'attaquent guère que des hommes d'un âge avancé. Elles ont le costume et le ton de l'honnêteté ; elles sont sans rouge, et enveloppées dans des mantelets noirs et de grandes thérèses* ; elles se livrent difficilement, et sont toujours contenues par la crainte d'une maladie dont elles n'auraient pas les moyens de se faire guérir.

Je ne puis que jeter un voile sur la dernière classe des femmes prostituées ; elle ne mérite pas d'entrer en ligne de compte. Mon pinceau se refuse à cette peinture qui n'offrirait que des objets hideux capables de dégrader entièrement le tableau.

C'est dans les trois dernières classes des femmes du monde que l'on trouve peut-être ce

---

* Sorte de capuchon qui s'est aussi appelé coqueluchon. Les frères Goncourt décrivent la thérèse comme une coiffure de transition entre celle de l'âge mûr et celle de la vieillesse. (*La Femme au XVIIIᵉ siècle*, Paris, Charpentier, 1877.)

qu'il y a de plus charmant pour le physique et de moins méprisable dans le moral ; c'est là où l'on rencontre quelquefois l'esprit, les grâces, la naïveté, l'ingénuité, la bonne foi, la bonté du cœur, la générosité ; c'est là que l'on voit des malheureuses qui ont été précipitées dans l'abîme du libertinage par des revers et un enchaînement d'événements funestes, qui gémissent de leur état et désirent sincèrement de s'en tirer ; c'est là où un observateur aperçoit, moins rarement qu'on ne pourrait croire, le développement de plusieurs vertus qui doivent forcer les honnêtes gens à plaindre ces infortunées, si ce n'est à les estimer.

Plusieurs de ces femmes du monde s'élèvent tout d'un coup de la plus basse classe à la plus haute ; d'autres descendent de l'une à l'autre avec une égale rapidité. Je connais plusieurs filles entretenues aujourd'hui avec le plus grand faste, et que leurs amants ont tirées des plus mauvais lieux ; et j'ai été raccroché, il y a peu de jours, par une que j'avais rencontrée diverses fois l'année dernière dans l'équipage le plus brillant.

L'Hôpital*, où l'impénitence finale conduit communément ces femmes lorsqu'elles persis-

_____

* L'Hôpital général, fondé sous Louis XIV et formé de plusieurs établissements servant tout à la fois de prison

tent dans leurs désordres, est la véritable image de l'enfer : le fameux tableau de Michel-Ange tracerait faiblement toutes les horreurs que peuvent enfanter les vices les plus enracinés et les plus détestables, irrités par la douleur et le désespoir.

Les maux que les femmes publiques versent sur tous les ordres de citoyens sont innombrables et si connus qu'il serait superflu d'en faire l'énumération. Malheureusement, on ne pourrait anéantir entièrement ce vice dans l'ordre civil qu'en extirpant la racine du besoin dans l'ordre physique ; mais je crois que, si le gouvernement voulait donner à cet important objet toute l'attention qu'il mérite, et en faire une branche réelle et sérieuse d'administration, il ne serait pas impossible de trouver une forme convenable qui rendrait ce vice moins scandaleux pour la religion et les mœurs, moins ruineux pour les fortunes des particuliers, moins dangereux pour la santé publique*. Les moyens

---

pour les prostituées, d'asile pour les folles et d'hospice pour les pauvres. Les filles « reçoivent à genoux la sentence qui les condamne à être enfermées à la Salpêtrière », écrit ainsi Louis Sébastien Mercier dans *Le Tableau de Paris* (1781-1788). « On les juge fort arbitrairement. [...] Arrivées à l'hôpital, on les visite, et on sépare celles qui sont infestées pour les envoyer à Bicêtre y trouver la cure ou la mort. »

* Dans *Le Pornographe ou Idées d'un honnête homme sur*

me sont connus, mais je ne les manifesterai que lorsque je serai lieutenant de police. En attendant, je me borne à gémir du mal comme chrétien, à le tolérer comme citoyen et à m'en consoler comme philosophe.

---

un projet de règlement pour les prostituées (1769), Restif de La Bretonne propose ainsi d'administrer la prostitution en regroupant les filles dans des institutions baptisées « parthénions ».

[Du luxe, qui a passé des grands aux petits]

Je m'embarquai, il y a peu de jours, avec un de mes amis au quai de Conti pour traverser la rivière, comme cela se pratique quand on veut abréger la route et éviter d'aller chercher les ponts. En abordant au quai du Louvre, et passant devant une baraque de bois qui sert d'abri à l'exacteur de la misérable petite ferme des bateaux qui font continuellement ce trajet, j'aperçus dedans un beau monsieur coiffé en hérisson*, poudré à toute rigueur, vêtu d'un habit de drap gris de perle bordé d'argent et dont le galon formait, autour des boutonnières, des brandebourgs terminés par des glands en cordelières et en paillettes. Cet homme si magnifique était établi devant une planche en

---

* Cette « coiffure en cheveux » relevait plutôt de la mode féminine.

forme de comptoir, recevait gravement des bateliers qui avaient fait la traversée deux liards pour chaque passager, et s'efforçait de relever la bassesse de son office par le faste et l'élégance de son costume et la dignité qu'il mettait dans l'exercice de ses fonctions.

Nous rîmes beaucoup, mon ami et moi, de cette singularité qui me fit faire ensuite des réflexions sérieuses sur la marche rétrograde du luxe, qui a passé des grands aux petits. Les grands ne se dorent plus aujourd'hui que dans les occasions d'appareil et de représentation où ils sont forcés de se montrer brillants, à la Cour ou en public. Ils n'emploient plus l'or et l'argent que dans leurs livrées : la noble et élégante simplicité des étoffes de goût, des broderies en soie et des fourrures, a remplacé l'éclat des métaux précieux qu'ils abandonnent à leurs laquais. L'exemple que je viens de rapporter et la profanation de la parure poussée à ce point sont bien capables de les y faire renoncer : ils regardent les dorures comme des abandonnées et des coureuses dont la prostitution les a dégoûtés.

Les gens du moyen et du bas étage, au contraire, mettent à leurs vêtements tout l'or et l'argent que leurs moyens leur permettent d'y employer ; on dirait qu'ils espèrent de ressortir davantage par ce genre de décoration extérieure. Mon homme, commis à la recette du péage de la Seine, dans son vil emploi et dans sa chétive baraque, se persuade qu'une coiffure recherchée et un habit riche lui attireront plus de considération, et ne s'aperçoit pas qu'ils ne font que répandre sur lui le vernis du ridicule.

Je ne puis m'empêcher d'observer ici que le luxe a gagné même les ecclésiastiques, ces hommes qui ne devraient aspirer qu'à la vénération publique, et dont la plus riche parure devrait être la modestie et la décence de leur état. Les abbés les plus coquets se permettaient à peine autrefois des surtouts de couleurs obscures comme le puce et le café brûlé ; ils ont passé insensiblement au mordoré et au tabac d'Espagne, de là au violet, au prune de Monsieur et au gris de lin : je ne désespère pas de les voir aller par nuances graduées jusqu'aux couleurs de rose. Ils ont commencé par relever un peu le surtout brun par un bouton d'or, ils y ont ensuite ajouté la boutonnière ; quelques-uns l'ont trouvée trop nue, et l'ont accompagnée du bordé. Ils en sont aujourd'hui aux glands, aux olives, aux moustaches et aux agrafes ; ils en viendront bientôt au galon plein et à la broderie, et l'on ne les distinguera plus des gens du monde qu'à leur calotte.

Je remarquerai aussi en passant que le goût de la parure chez les femmes a marché en raison inverse du cours qu'il a eu chez les hommes. Les honnêtes femmes se mettent aujourd'hui comme les filles, et les filles un peu huppées, et du bon ton, affectent dans leurs ajustements toute la décence et la simplicité qui caractérisent les femmes véritablement honnêtes.

Il est heureux pour le commerce que les petits se soient livrés au luxe auquel les grands ont renoncé. L'industrie n'y perd rien ; elle ne fait que changer de chalands. J'ose croire même qu'elle y gagne, parce que les petits sont infiniment plus nombreux que les grands. Il est encore plus heureux que les financiers* aient persévéré dans leur goût pour la richesse des habits, qui est l'enseigne de leur opulence ; il

---

* Sous la plume de Peyssonnel, le spectre du percepteur qui se sert au passage apparaît sous les terme de « maltôtier » (p. 55), de « traitant » (p. 105), mais aussi de « financier » (p. 32). Il n'est donc pas question ici de banquiers au sens contemporain du terme mais bien des fermiers généraux (et des hommes gravitant autour d'eux) qui, sous l'Ancien Régime, obtenaient par adjudication le droit de percevoir les impôts indirects moyennant le versement d'une somme fixe au Trésor, et réalisaient ainsi des bénéfices colossaux. Turgot et Necker entreprirent de réformer ce système de la Ferme générale, et c'est bien dans cet esprit que Peyssonnel parle plus loin du « plan de l'abolition de la Finance ». De fait, elle sera supprimée par la Constituante en 1790.

est essentiel, important pour l'État, que ce goût ne se ralentisse jamais. Le luxe de tous les genres doit être désiré, devrait être, j'ose dire, ordonné à cette sorte de gens. C'est le seul canal par lequel on puisse faire refluer sur le peuple les richesses qu'ils accumulent ; c'est le seul moyen de leur faire restituer en quelque manière au public l'argent qu'ils lui enlèvent. Le plan de l'abolition de la Finance, dont on paraît s'occuper aujourd'hui, n'aurait qu'un seul inconvénient, qui serait de diminuer l'activité que le faste énorme des financiers donne à l'industrie et à la circulation.

Les petits ont tort sans doute de donner dans un excès de parure qui peut les ruiner sans jamais les égaler aux grands ; mais il faut convenir aussi que les grands n'en ont pas moins de s'abandonner trop souvent à un négligé excessif qui les confond avec les petits. La chenille et l'habit du matin que l'on garde toute la journée ont masqué toutes les condi-tions ; il est impossible de plus reconnaître per-sonne. Les premiers personnages de l'État courent les rues vêtus comme les derniers des citoyens. On croit avoir affaire à un clerc de procureur, c'est un prince de l'Empire ; on évite un homme qui a l'air d'un racoleur cherchant à faire des recrues, c'est un de nos premiers magistrats ; on trouve dans une rue un homme qu'on prend pour un colporteur de livres défendus, on va lui demander *Aloïsia** ou *Le P. des C.*** lorsqu'on reconnaît, en l'examinant de plus près, un personnage de la plus haute importance. On rencontre de temps en temps des gens de la haute robe à cheval dans les rues avec une redingote et un cadogan. Je coudoyai il y a trois jours, en glissant, un homme mal vêtu, et m'étant retourné pour lui faire mes excuses, je vis sur sa chenille crasseuse les décorations qui attirent le plus de respect dans toutes les cours de l'Europe.

Il n'y a certainement rien de plus louable chez les grands que d'être affables et popu-

---

* L'avocat Nicolas Chorier (1612-1692) est certes connu pour ses ouvrages historiques sur le Dauphiné mais aussi pour un poème érotique et saphique sous forme de sept dialogues, présenté comme écrit en espagnol par Luisa Sigea, poétesse de Tolède, puis traduit en latin par Johannes Meursius. Le texte latin original parut vers 1660 sous le titre *Aloisiae Sigeae Toletanae, Satyra sotadica de arcanis Amoris et Veneris*, et il y eut plusieurs versions françaises à partir de 1680 (dont *Aloysia ou Entretiens académiques des dames*), mais c'est surtout à partir de 1730 et sous le titre de *L'Académie des dames* que fut diffusée cette œuvre.

** Ces initiales cachent un classique de la littérature érotique du XVIIIe siècle, *Histoire de dom Bougre, portier des Chartreux*, paru en 1741 et attribué à l'avocat Jean Charles Gervaise de Latouche (1715-1782). Ce roman connut un grand succès – clandestin, bien sûr –, et en 1746 un exemplaire en fut même découvert chez l'une des filles de Louis XV, Adélaïde, alors âgée de quatorze ans.

laires ; mais ils ne doivent jamais pousser cette vertu jusqu'à se rendre trop communs, se livrer à une familiarité qui ne peut qu'engendrer le mépris, se mêler avec le peuple, et se travestir au point de s'exposer à quelque insulte qui compromette leur caractère.

Nos grands ont pris des Anglais l'usage et l'abus du déshabillé, mais les Anglais ont une autre constitution et des principes différents. Un pair de la Grande-Bretagne va en frac avec une petite perruque et une canne à la main à la taverne, passe sa matinée dans un café, donne à un portefaix, ou reçoit de lui, des coups de poing dans une rue de Londres. Un pair de France ne ferait pas la même chose à Paris sans être universellement méprisé. Dans une monarchie, la confusion des états est un grand mal : les grands, les hommes en place, les personnes constituées en dignités doivent éviter de donner, sous aucun prétexte, la moindre occasion aux petits de manquer au respect et à la considération dus à leur rang et à leur personne : dès que l'on commence de confondre les personnes, on confond bientôt les idées. M. de Sully a rangé cette confusion des états au nombre des causes de la décadence d'une monarchie dans une note qu'il donna à Henri IV, et qu'on peut voir dans *L'Ami*

*des hommes**, où elle est rapportée tout au long :
quand un aussi grand homme a prononcé, il
ne me reste plus rien à dire.

---

* *L'Ami des hommes ou Traité de la population* (1755)
est l'œuvre de Victor Riqueti, marquis de Mirabeau (1715-
1789), père du célèbre orateur et l'un de ces économistes
physiocrates qui voyaient dans l'agriculture la véritable
source des richesses.

[De la consommation du café]

Les progrès de la consommation du tabac ont été vastes et rapides. Ceux du café ont été plus lents, mais tout aussi prodigieux, et je suis toujours étonné que l'avidité des traitants n'en ait pas encore fait une ferme*.

Les gens du plus bas étage, dont le déjeuner** était autrefois un verre de vin ou d'eau-de-vie, déjeunent assez communément aujourd'hui avec du café au lait. Dans les ménages des citoyens les plus indigents, où très souvent il n'y a point de pot-au-feu, il y a, le matin, le café au lait préparé, faute de cafetière, dans une

---

* Le traitant, c'est celui « qui se charge de recouvrer des impositions ou deniers publics à certaines conditions réglées par un traité » (*Dictionnaire de l'Académie française*, 4ᵉ édition, 1762). Ainsi donc, la ferme est la « délégation que le souverain fait du droit de percevoir certains revenus » (Émile Littré, *Dictionnaire de la langue française*, 1863-1877). Voir note de la p. 100 sur la Ferme générale.

** Notre petit déjeuner.

soupière ou un poêlon de terre, et pris dans une écuelle avec des mouillettes de gros pain rassis.

Une affaire m'obligea, il y a quelques jours, d'aller de très grand matin au Marais, vers les sept heures. L'appétit me fit entrer dans un café borgne de la rue Saint-Martin. Je me fis donner un petit pain et une tasse de café ; on me servit une tasse ordinaire, et je vis que le garçon préparait sur une table voisine une vingtaine de tasses énormes qui excitèrent ma curiosité. Je lui demandai pour qui était cet appareil ? Il me répondit qu'il apprêtait le déjeuner des marchandes. Un instant après, je vis entrer en effet un essaim de femmes du peuple vêtues dans le plus bas costume, des visages grossiers, bronzés par le hâle, surmontés de cornettes de grosse toile à barbes pendantes : c'était un détachement des marchandes de fruit et de poisson qui étalent dans le marché de l'abbaye Saint-Martin. Toutes ces figures, faites pour représenter avec beaucoup plus de distinction dans un cabaret que dans un café, occupèrent toutes les tables, même la mienne, où elles me laissèrent à peine un pauvre petit coin. Elles se firent servir sur-le-champ, du ton le plus impérieux, et l'on apporta à chacune deux petits pains et une écuellée de café à la crème.

J'étais seul d'homme ; je sentis une sorte de malaise qui tenait de la frayeur ; je craignais que la moindre irrégularité commise innocemment, et par ignorance des mœurs et des coutumes de cette brigade, ne me suscitât quelque querelle dont j'aurais eu de la peine à me bien tirer. Je finis par prendre mon café à travers le tapage de la conversation bruyante et tumultueuse de ces dames, dont je trouvai le diapason un peu forcé et le style peu châtié, mais on ne peut pas plus énergique. Je me dépêchai de gagner la porte en saluant de droite et de gauche. Le café cependant m'avait paru si bon, et je m'attendais si peu à en trouver de pareil dans cet endroit-là, qu'en payant je me crus obligé d'en faire compliment au maître.

« Ah ! Monsieur, me dit-il, si je n'avais pas d'excellentes marchandises, je perdrais bientôt toutes les bonnes pratiques que vous voyez là : ce sont elles qui me font vivre ; elles sont riches, elles paient bien et veulent tout ce qu'il y a de meilleur. »

Je me sauvai en faisant des réflexions sur les avantages de l'opulence sourde et obscure qui, sans entraîner tous les inconvénients et les dégoûts qui empoisonnent souvent la possession des richesses affichées, procure ces jouissances sans éclat qui sont les plus douces et les plus solides.

[D'un projet contre les outrages faits à la langue française]

Théophraste fut traité de barbare dans le marché d'Athènes par une vendeuse d'herbes qui connut à quelques nuances dans son langage ou dans sa prononciation qu'il n'était pas Athénien. Tout homme qui sait le français est en droit de traiter de barbare notre capitale s'il prête, comme moi, l'oreille à la langue qu'on parle à la Halle, dans tous les marchés, dans tous les endroits où il y a concours du peuple, et s'il lit aussi attentivement les enseignes, les affiches et les écriteaux...

J'ai déjà dit quelque chose des outrages faits à la langue et à l'orthographe dans toutes ces légendes publiques. J'en ai trouvé, il y a peu de jours, une qui me force d'en parler encore.

Une des plus belles maisons de la rue de Cléry est actuellement à vendre ; il y a sur la porte un grand écriteau écrit avec prétention en grandes lettres moulées, mais orthographié de la manière suivante : MAISON AVANDRE SADRESSERE A MR GABRIELLE RUE DE LA CROIX. Il est très permis à un homme de vendre sa maison, mais il ne devrait pas lui être permis de la proposer au public d'une manière aussi incorrecte. Ce révoltant écriteau m'a fait imaginer un projet qui pourrait être mis en exécution avec la plus grande utilité.

Dans le siècle le plus brillant de notre monarchie, l'Académie française a été instituée pour perfectionner et enrichir la langue, ou la conserver, du moins, dans toute sa pureté. Cette société s'est bornée à proposer des sujets pour des prix littéraires et à composer un dictionnaire rarement consulté, jamais lu, et qui, d'ailleurs, n'est pas à la portée du bas peuple, dont le langage aurait le plus besoin d'être châtié. Tout cela n'est pas suffisant. Je voudrais que le Roi érigeât l'Académie française en tribunal glossaire qui connût de toutes les infractions faites aux lois de la langue et de l'orthographe, et que Sa Majesté revêtît ce tribunal d'une autorité suffisante pour punir les solécismes et les barbarismes publics à la réquisition du secrétaire perpétuel, qui serait le procureur du Roi de ce tribunal, et donnerait ses conclusions sur les dénonciations qui lui seraient faites par des inspecteurs galloglotes établis pour la police de la langue.

Ce tribunal, en vertu du pouvoir que le Souverain lui aurait confié, ferait brûler toutes les pièces de théâtre où nos Blaises, nos Colas, nos Lubins, nos Lisettes, nos Claudines viennent nous parler l'abominable jargon des paysans des environs de Paris ; ferait arracher toutes les affiches, abattre les enseignes, lacérer les écriteaux dans lesquels on trouverait des fautes grossières de style ou d'orthographe ; et imposerait des amendes pécuniaires aux auteurs dramatiques qui oseraient, à l'avenir, faire parler ce jargon exécrable à leurs interlocuteurs, aux particuliers qui mettraient en évidence ces annonces incorrectes, et aux écrivains, peintres et imprimeurs qui se seraient permis de les écrire, de les peindre ou de les imprimer.

On formerait du produit de ces amendes un fonds d'amortissement pour la fondation d'une école gratuite où l'on enseignerait au bas peuple la grammaire française et l'orthographe. Ce serait le seul moyen de réformer insensiblement le jargon du bas peuple et d'amener le bas ordre des citoyens à la soumission due aux lois de la langue et aux règles de l'orthographe, qu'il viole impunément depuis si longtemps. Il est vrai que le revenu cesserait lorsqu'on serait parvenu au but désiré ; mais le fonds des amendes que l'on percevrait jusqu'à la parfaite réformation suffirait pour la fondation et pour le maintien de cet établissement jusqu'à l'extinction de la monarchie.

Les Grecs, les Romains, les Arabes, les Turcs, toutes les nations qui ont eu une grande puissance, et beaucoup de célébrité, se sont attachées à cultiver, à épurer, à enrichir leur langue ; et le peuple le plus éclairé qui fut jamais semble négliger entièrement la sienne, et la voit avec indifférence outrager à chaque instant par les habitants de sa propre capitale et des lieux circonvoisins. Il souffre même qu'on parle un bas et scandaleux jargon sur son théâtre où sa langue devrait se montrer dans toute sa pureté.

On me dira peut-être que plusieurs provinces ont leur patois : j'en conviens. Le provençal, le languedocien, le basque, le breton sont des patois ; mais ces patois sont des langues soumises à des lois, à des règles grammaticales consacrées par des ouvrages nombreux de prose et de poésie, et que les gens du pays parlent purement. Ces patois ne sont point, comme le jargon du peuple de Paris et des environs, un monstre dégoûtant composé de tous les barbarismes et de tous les solécismes qu'il est possible de commettre dans la langue française.

Les Parisiens, depuis le bas peuple jusqu'aux grands, et même les savants et les gens de lettres, prononcent *Baptisse* pour *Baptiste*, *rhumatisse* pour *rhumatisme*, *architèque* pour *architecte*, etc. Ces barbarismes ne se commettent pas en province. Si l'accent et les fautes de langage du provincial fatiguent les oreilles du Parisien, le provincial n'est pas moins étonné de trouver dans la capitale des gens du bel air parler une langue inconnue.

Si le gouvernement adopte le projet que je viens de proposer, j'ose être garant que dans moins de cent ans il n'y aura à la Halle et dans la banlieue de Paris que des puristes qui pourront, comme la vendeuse d'herbes d'Athènes, traiter de barbares les provinciaux qui viendront au marché commettre la moindre faute de style ou de prononciation.

De l'usage d'annoncer les visites

Je voudrais que l'Académie des inscriptions et belles-lettres éclaircît un point d'antiquité dont la solution me ferait le plus grand plaisir, et qu'elle daignât nous apprendre si c'était l'usage d'annoncer dans les maisons de la Grèce et de l'ancienne Rome ; si, quand Alcibiade et Périclès, Pompée et Lucullus, César et Caton, Cicéron et Marc-Antoine se faisaient visite, les laquais leur demandaient leur nom dans l'anti-chambre. J'ai peine à croire que des gens qui se tutoyaient usassent de ce ridicule cérémonial, et je pense qu'ils entraient tout simplement les uns chez les autres.

La consigne ou l'usage de faire défendre sa porte est raisonnable et honnête : qu'un homme qui a quelque occupation ou quelque malaise ne veuille voir personne et ordonne à son portier de dire qu'il n'est point au logis, c'est à mer-veille. Cette défense ignorée ne peut offenser personne ; le visiteur s'en contente et s'en va, et le visité use du droit incontestable qu'il a de jouir dans sa maison de la tranquillité et du repos, et d'y trouver un asile contre l'importunité.

Mais l'usage d'annoncer est bien différent. Il a pris sa source chez les grands et les gens en place, et il a été raisonnable tant qu'il n'est pas sorti de ce tourbillon. Un homme qui occupe une grande place est censé n'avoir pas de temps de reste ; on doit le supposer contraint d'en faire une juste et économique distribution, et croire qu'il ne peut pas abandonner à un homme inutile le quart d'heure qu'il doit à un homme essentiel. Lors même qu'il baye aux mouches dans son cabinet, il faut qu'il ait au moins l'air d'y être occupé. Il est juste que cet homme sache le nom des gens qui demandent à le voir, pour se décider à les admettre, ou à les renvoyer.

Mais ce même usage est devenu ridicule, impertinent, révoltant depuis qu'il a été prostitué, et qu'il est sorti des bornes que le bon sens et la raison lui avaient prescrites. On annonce aujourd'hui dans toutes les maisons possibles, même chez les financiers, chez les bourgeois, chez les marchands, chez les garçons les plus désœuvrés : il n'y a pas jusqu'à mon laquais, de moi, garçon, logé en hôtel garni,

116

qui avait la rage d'annoncer, et qui annoncerait encore si je ne l'avais enfin menacé de le mettre à la porte à la première récidive. Il me fit un jour tomber en confusion en m'annonçant, avec un ton de dignité, un des plus grands seigneurs du royaume qui avait daigné m'honorer d'une visite. J'ai vu, dans des ménages où il n'y avait point de laquais, la bonne sortir de sa cuisine au coup de sonnette et quitter son tablier pour venir annoncer.

Je demande si ce n'est pas là le plus complet ridicule ? Et dans le fond, à quoi sert d'annoncer chez le commun des citoyens ? Dès qu'un honnête homme est dans l'antichambre, le maître de la maison ne peut ni le faire attendre ni encore moins le renvoyer ; il n'a même plus d'excuse légitime à proposer ; parce que s'il est malade, ou occupé de manière à ne voir qui que ce soit, il doit faire défendre sa porte. Si par hasard il a dans ce moment d'autres personnes chez lui, il offense grièvement celle qui se présente en faisant savoir aux autres qu'il ne veut pas la recevoir, et il s'expose infailliblement aux suites ordinaires d'une insulte.

D'ailleurs, les formalités de l'annonce sont toutes désagréables et dégoûtantes. Un honnête homme se présente dans l'antichambre. Un laquais insolent qui a eu bien de la peine à se lever de son siège, après l'avoir toisé, lui demande :

« Monsieur, votre nom, s'il vous plaît. »

C'est assurément une très grande impertinence d'obliger un homme qui vient faire une visite de décliner son nom à un laquais dans une antichambre. Ce laquais entre ensuite le premier dans le salon de compagnie et décline lui-même, à haute voix, le nom de la personne qui le suit. Cette seconde formalité est encore tout au moins une impolitesse : il n'y a aucune espèce de nécessité de faire savoir à toute la compagnie le nom de la personne qui va paraître, et il peut y avoir dans le cercle des gens desquels elle désirerait de n'être pas connue.

En un mot, l'usage d'annoncer ne me semble raisonnable que chez les hommes publics et chez les femmes publiques. J'ai indiqué les raisons qui le rendent nécessaire chez les premiers ; on devine celles qui peuvent le faire tolérer chez les autres. En Italie, lorsqu'un amateur se présente chez une courtisane, la *cameriera* va l'annoncer à l'oreille de sa maîtresse ; et si celle-ci ne peut absolument pas le recevoir, elle revient lui dire avec beaucoup de douceur :

« *La Signora e impedita**. »

---

* « Madame est occupée. »

[Des noms légers donnés aux épidémies]

Les mahométans sont les seuls peuples demeurés en proie à la peste, qui ne trouve plus que chez eux des victimes volontaires et bénévoles. Ils la regardent comme un fléau envoyé par la Divinité ; ils croiraient se rendre rebelles envers l'Être suprême et l'offenser en s'en préservant. Leur caractère religieux leur fait craindre même de lui donner des épithètes odieuses ; et quand ils veulent la désigner au figuré, ils se servent du mot arabe *mubarek*, qui veut dire « la bénite ». Ils présentent pieusement la gorge au glaive de l'Ange exterminateur que leur montre une imagination exaltée par le fanatisme.

Ceux qui succombent à cette terrible maladie ne sont pas regardés, dans la loi mahométane, comme décidément martyrs, ils n'entrent point victorieux et triomphants au paradis, comme ceux qui sont tués dans les combats contre les infidèles ; mais ce genre de mort est un titre qui, sans laver entièrement les taches du péché, ne laisse cependant pas de rapprocher du salut et est à peu près équivalent à une somme d'indulgences dans la religion romaine.

Les Français, moins religieux mais plus gais que les musulmans, ne donnent pas aux épidémies des noms sacrés, imposants et respectables, mais, par une suite de cette légèreté avec laquelle ils ont coutume de traiter toutes choses, ils les annoncent sous des noms légers, gentils, capables de rassurer. Une toux épidémique qui fait des ravages dans une ville ou dans une province est appelée la follette, la coqueluche ; un catarrhe affreux qui enlève en peu de jours à Paris une foule de citoyens est connu dans ce moment-ci sous les noms divers de grippe, de coquette, de générale, d'influence. Les hommes sont presque toujours dupes des mots.

Quelqu'un ressent les premiers symptômes d'une de ces maladies meurtrières quand elles sont négligées ou traitées par un régime pervers, il y fait peu d'attention, il est presque bien aise d'en être attaqué pour être à la mode et pouvoir en parler dans la société : le mot n'a rien d'effrayant, il n'imagine pas que la chose puisse avoir des suites funestes. Le médecin arrive, en plaisante avec le malade et se néglige autant que lui. Le mal empire, le patient meurt, tout étonné d'être tué par la coqueluche, la follette ou la coquette, et de succomber à une maladie à la mode qui court la ville sous une si gentille dénomination.

Je me souviens qu'un gentilhomme de province de mes amis avait élevé, il y a fort longtemps, dans la cour de son château, un loup qu'il croyait avoir assez apprivoisé pour pouvoir lui donner un nom capable d'attirer la confiance, et il l'appelait Mouton. L'hôte des bois, qui, sous le nom de cet animal innocent et bénin, avait conservé toute la férocité de son caractère, mordit et estropia bientôt plusieurs particuliers qui étaient venus le caresser sur la foi de son nom qui annonçait des mœurs douces, fruit d'une éducation sûre et éprouvée, et mon ami fut contraint, pour éviter de mauvaises affaires, de renvoyer son mouton dans la forêt où il avait fait sa connaissance.

Tout cela me paraît mal vu. Je crois qu'il n'y a pas de couleurs assez noires pour peindre les maux qui menacent l'espèce humaine, point de noms si odieux qu'on ne doive leur prodiguer pour donner l'éveil aux citoyens et les mettre en garde contre leurs atteintes. Il y a, ce me semble, des moments où, bien loin de rassurer le peuple, il convient de lui causer une épouvante salutaire.

En 1720, Marseille a fourni un exemple effrayant et mémorable auquel on devrait faire la plus grande attention. Les médecins de la ville, pour n'avoir pas osé nommer la peste, pour avoir mitigé l'expression et l'avoir annoncée dans des affiches publiques sous la dénomination de fièvre pestilentielle, furent cause de la rapidité de ses progrès ; ils diminuèrent les précautions des habitants en calmant leurs justes alarmes ; ils suspendirent l'activité sage et éclairée des magistrats qui aurait peut-être arrêté le cours de la contagion et sauvé plus de cent mille citoyens*.

J'ose croire que tout ce qui peut décider de la vie des hommes ne comporte aucune sorte de gentillesse ni de mauvaise plaisanterie, et doit être traité avec le plus grand sérieux. Pouvoir mourir gaiement est certainement un bonheur que j'envie et auquel j'aspire. Admirons, louons, tâchons d'imiter ces hommes heureux qui, arrivés à leur dernière heure, ont l'esprit assez fort et la conscience assez pure pour semer eux-mêmes des roses sur la tombe où ils se voient prêts à descendre ; mais ne leur cachons

---

* En réalité, près de cinquante mille Marseillais succombèrent, soit la moitié de la population de la ville, dont le grand-père paternel de Peyssonnel ; mais il est vrai que la peste fit aussi des ravages dans toute la région.

pas sous des fleurs les pièges qui peuvent les y entraîner avant le terme, et avouons que la Brinvilliers aurait été un monstre bien plus dangereux qu'elle n'a été dans le monde si elle avait pu s'y produire sous le nom de Ninon de L'Enclos*.

---

* Si l'on connaît Ninon de Lenclos (1620 ?-1705), qui brilla autant par ses mœurs libertines que par son bel esprit et sa grande culture, on ignore peut-être que la marquise de Brinvilliers (1630-1676) fut une diabolique empoisonneuse qui périt sur l'échafaud et déclencha l'affaire des Poisons.

Des projets

Un grand projetiste de ma connaissance vint me trouver, il y a quelques jours, à cinq heures du matin, pour me faire part d'une idée lumineuse et sublime qui s'était présentée à son esprit la nuit précédente.

« Je me promenais hier, me dit-il, au bois de Boulogne, et je vis dans une allée un cerf apprivoisé, dressé, sellé, bridé et monté par une dame habillée en amazone, qui lui faisait faire tous les mouvements et lui donnait toutes les allures du cheval ; elle le menait au pas, au trot et au galop, suivant sa fantaisie. Cette singulière découverte m'a fait imaginer qu'on pourrait tirer des cerfs une prodigieuse utilité pour les postes en les subtituant aux chevaux, dont on a coutume de se servir. Ils ont les mouvements plus doux et moins fatigants, la marche plus légère, la course plus véloce, et, en rasant leur bois gênant et dangereux qui peut occasionner des accidents, il ne serait peut-être pas impossible de les atteler et de leur faire traîner les voitures. On pourrait même en tirer des services à la guerre pour une cavalerie légère, et il faudrait alors leur laisser leur bois comme une arme offensive capable d'incommoder l'ennemi.

« Il n'y a pas de doute, ajouta-t-il, qu'un mémoire bien fait sur cette matière déciderait le Roi de mettre en haras tous les cerfs qui peuplent ses forêts. Sa Majesté y gagnerait la suppression de la dépense de son train de chasse, une excellente remonte de cavalerie légère, un capital d'animaux de monture et d'attelage pour ses postes ; le public en serait mieux servi, et les chevaux, plus forts et plus propres aux travaux de la campagne et aux charrois, seraient rendus à l'agriculture et au commerce. »

Mon homme, après cet exposé, tira de sa poche un devis dans lequel il avait déjà calculé les dépenses et les produits, et un brouillon de mémoire qu'il me promit de rectifier d'après mes conseils.

Je lui dis ingénument que je n'avais jamais vu de cerf qui galopât aussi vite que son imagination. Mais, comme il ne faut pas trop heurter de front ces messieurs-là, je le priai de me laisser son devis et son mémoire, et lui promis d'y faire mes observations. Je lui donnai à déjeuner, et le congédiai en prétextant une affaire importante qui m'obligeait de m'habiller et de sortir tout de suite. Quelques jours après, je lui rendis ses papiers en l'assurant que j'avais été si satisfait de son travail que je n'y avais pas trouvé un point ni une virgule à ajouter ni à supprimer.

Il y a dans Paris une foule d'extravagants, de désœuvrés et d'affamés qui courent après la fortune et sont assez dépourvus de bon sens pour espérer d'y parvenir en mettant en avant des projets de cette force.

Un homme a été assez fol pour présenter sérieusement un projet pour anéantir en un an la nation anglaise en portant en Angleterre une armée de loups. La base du projet était appuyée sur l'Histoire. Il rappelait au ministre avec érudition les ravages affreux que ces animaux avaient faits autrefois dans la Grande-Bretagne, et combien ils s'étaient toujours montrés friands de la chair des Anglais. Il calculait ensuite qu'un loup d'un appétit médiocre peut bien manger un homme en deux jours, et concluait qu'en faisant débarquer en Angleterre environ dix mille loups, dans la révolution de l'année il ne devait plus y rester un seul des sept millions d'habitants qui forment la population de ce royaume.

Les hommes de cette espèce sont bien faits assurément pour justifier l'éloignement que les membres de l'administration témoignent pour les projetistes. Mais il y a aussi dans la capitale des hommes sages, éclairés et instruits qui enfantent quelquefois des projets infiniment utiles dont l'exécution assurerait à l'État les plus grands avantages, et ces hommes méritent certainement d'être écoutés, et même encouragés par la gloire et les récompenses.

Il est sûr que le gouvernement ne doit pas se livrer aveuglément à tous les projets qu'on lui présente ; mais il ne doit pas non plus fermer avec opiniâtreté les yeux aux rayons qui partent de ces têtes lumineuses qu'on ne trouve guère que dans le moyen ordre des citoyens ; et le mépris que les gens en place montrent assez communément pour les faiseurs de projets doit avoir des bornes et des exceptions. Tout accepter est mal ; tout rejeter est pis. Un homme d'État qui n'a point de système à lui ni de volonté propre, et qui exécute sans discernement tous les changements et toutes les innovations qu'on lui propose, ressemble à un médecin qui accable son malade de tous les remèdes qu'il trouve dans les livres et dans la bouche des bonnes femmes. Celui qui tient trop à ses principes, qui se raidit contre les avis et les conseils, qui ne trouve de besogne bien faite que la sienne, et qui plutôt que d'y rien changer abandonne, comme a dit un homme de beaucoup d'esprit, l'État à sa bonne fortune, ressemble à un autre médecin qui laisse empirer le mal et mourir le malade, faute d'appeler à consultation.

Sur la folie des modes

Les recherches qu'il faut faire sur l'Antiquité pour éclaircir divers points relatifs aux mœurs et aux usages des anciens peuples sont infiniment pénibles. Je sais ce qu'elles coûtent ; j'ai fait une histoire de l'ancienne Crète, que je donnerai peut-être au public avant de mourir. J'y ai parlé de l'habillement des anciens Crétois, et j'ai eu une peine inconcevable à en retrouver, en définir et en fixer les diverses pièces, quoiqu'elles fussent en petit nombre et on ne peut pas moins recherchées.

Je ris de l'embarras de mes confrères les antiquaires* qui, dans trois ou quatre mille ans, voudront travailler à la description des habillements des Français de nos jours. Comment

---

* L'antiquaire, c'est en principe « celui qui s'applique à l'étude de l'Antiquité » (Émile Littré, *Dictionnaire de la langue française*, 1863-1877), mais par extension le mot désigne les « savants qui s'adonnent à l'étude du passé » (*Larousse du XXe siècle*, 1928-1933).

débrouilleront-ils le chaos de nos modes qui se succèdent avec tant de rapidité, et sous de si bizarres dénominations ? Si quelque grande révolution anéantit *L'Encyclopédie perruquière*** de M. André, comment feront-ils entendre à leurs contemporains ce que c'était que les coiffures des hommes à l'oiseau royal, au cabriolet, à la Ramponneau, à la grecque, à l'hérisson ? Ils n'imagineront jamais qu'un cabaretier obscur et ridicule ait donné son nom à la coiffure d'une puissante et illustre nation**.

Celles des femmes ne les intrigueront pas moins. Que diront-ils des bonnets à la belle-poule, à la Grenade, à la d'Estaing, au Dauphin, aux relevailles de la Reine, à la redoute, au

---

* *L'Encyclopédie perruquière. Ouvrage curieux à l'usage de toutes sortes de têtes...* (1757) est en réalité l'œuvre de Jean Henri Marchand (mort vers 1785), avocat et poète facétieux. Il existait bien à Paris, rue de la Vannerie, un certain Charles André, perruquier de son état, et Marchand avait emprunté ce nom pour signer *Le Tremblement de terre de Lisbonne* (1755), parodie des tragédies de Voltaire.

** Pas si obscur que cela, le cabaretier Jean Ramponneau (1724-1802) ! À la barrière de la Courtille il avait vendu la pinte de vin un sous moins cher que ses confrères, puis il était devenu propriétaire de la Grande Pinte, à l'emplacement de l'actuel square de la Trinité, qui pouvait accueillir six cents personnes (dont de grandes dames déguisées en soubrettes). En 1760, il avait accepté de se produire sur un théâtre de marionnettes puis s'était ravisé, d'où procès et plaidoyer comique de Voltaire.

Port-Mahon, au compte rendu ? Devineront-ils qu'on a voulu célébrer par des monuments aussi légers et aussi frêles que les bases sur lesquelles ils sont élevés la naissance d'un héritier du trône, la gloire d'une conquête importante, la valeur d'un officier distingué, le triomphe d'un général habile et vaillant, l'adresse d'un administrateur rénommé qui a cru étendre le crédit de l'État par le développement public des ressources ? Je vois d'ici les faiseurs de dictionnaires historiques travaillant à l'article *d'Estaing* : après avoir parlé de l'origine et du lustre de cette maison et du général qui a mérité, à si juste titre, la confiance du Roi et l'amour de la Nation, ils ne manqueront pas de supposer que dans le même temps vivait un autre d'Estaing, habile ouvrier en coiffure de femmes, et qui faisait des bonnets élégants auxquels on avait donné son nom.

Les couleurs de nos étoffes de mode donneront aussi de la tablature aux opticiens et aux teinturiers ; il ne leur sera pas facile de deviner la nuance du soupir étouffé, de la cuisse de nymphe émue, du ventre de puce en fièvre de lait, de l'entraille de petit-maître. Il faudra définir ce que c'est qu'un petit-maître, décider s'il peut voir des entrailles et de quelle couleur elles sont, et tout cela n'est pas facile. Je crois qu'après bien des débats on finira par assurer que les Français avaient des tons de couleurs et des nuances qu'on a insensiblement laissé perdre, tout comme nous assurons aujourd'hui que la musique des anciens Grecs avait des sub-divisions de tons et des commas qui sont abso-lument inusités et même inconnus dans notre musique moderne.

Les noms de plusieurs de nos étoffes, comme les espagnolettes, les musulmanes, les circas-siennes, donneront lieu également à de pro-fondes recherches. Les savants affirmeront que les Français tiraient les deux premières de Madrid et de Constantinople, et que la Circassie leur fournissait les troisièmes. Ils concluront de là que dans le dix-huitième siècle les Circassiens, qui n'ont d'autre trafic que celui de leurs enfants qu'ils vendent aux Turcs et aux Tartares, avaient un commerce si étendu qu'ils envoyaient jus-qu'à Paris des étoffes pour l'habillement des Français.

Peut-être, hélas ! commettons-nous tous les jours de pareilles erreurs dans les solutions conjecturales que nous nous avisons de donner de différents problèmes d'Antiquité.

Nos modes sont folles, leurs noms extrava-gants ; mais ces modes rendent nos femmes charmantes, nos hommes propres et élégants ; elles aiguisent l'industrie, perfectionnent les arts, étendent le commerce, tournent la tête aux étrangers, nous font rechercher par eux, attirent chez nous leur argent et nous donnent sur les autres peuples une foule d'avantages. Jouissons-en tant qu'ils dureront ; tâchons de les perpétuer ; moquons-nous des embarras et des sueurs des antiquaires futurs, et rions d'avance des dissertations absurdes auxquelles nos modes donneront naissance dans les siècles à venir.

[De la multiplication des livres inutiles]

La rareté des livres chez les Anciens devait rendre les études bien pénibles. Les Orientaux, qui sont encore anciens et reculés à notre égard de plus de vingt siècles, ont parmi eux très peu de savants parce qu'ils n'ont point d'imprimeries et que leurs livres, étant tous manuscrits, ne se trouvent pas aisément. La difficulté, l'impossibilité même de se procurer les livres dont on a besoin forcent souvent un homme d'étude d'abandonner le genre de science pour lequel il a le plus de goût et de dispositions, et dans lequel il aurait peut-être fait les progrès les plus rapides. Je crois que les Anciens savaient moins que nous ; mais peut-être, dans les sciences positives, savaient-ils mieux que nous parce qu'ils étaient contraints de feuilleter sans cesse le grand livre de la nature ; et pour les ouvrages d'imagination, ils n'avaient aucun besoin de livres ; le génie trouve tout chez lui.

L'imprimerie a certainement étendu la sphère des connaissances humaines ; elle les a rapprochées et, pour ainsi dire, réunies en masse. Elle a mis les gens d'étude à portée de profiter des découvertes de tous les âges et de toutes les nations. Dans le siècle où nous vivons, on est généralement plus instruit ; on trouve une plus grande multiplicité de talents dans un même homme. Il y a de véritables connaissances dans une foule d'individus qui ne sont pas de l'ordre de ceux qu'on appelle communément les beaux esprits ; nos bons esprits cultivés sont peut-être au pair de tous les philosophes qui les ont précédés. On compterait peut-être en Europe cinquante écrivains en état d'enfanter des ouvrages aussi bons que ceux qui ont fait autrefois la réputation de nos coryphées ; et, si l'on est de bonne foi, on doit convenir qu'il y a tels fragments de littérature, pleins de mérite sans doute, mais qui, s'ils paraissaient aujourd'hui pour la première fois, n'attireraient qu'une médiocre attention parce qu'ils seraient au-dessous du moment. J'en excepte, comme on peut bien croire, les productions de ces génies sublimes et immortels qui ont mérité l'admiration de tous les hommes et de tous les siècles, et qu'on ne peut se flatter en aucun temps de surpasser ni d'égaler.

Mais si la presse a multiplié les livres utiles, il faut convenir aussi que la fabrique des livres, absolument inconnue aux Anciens, a infiniment multiplié les livres inutiles et superflus. L'abondance des livres a embrouillé les études, et les a rendues peut-être aussi fatigantes qu'elles l'étaient autrefois par la raison contraire. Notre siècle peut s'attribuer tout l'honneur de cette nouvelle méthode. Il est curieux d'examiner combien de fois le public achète la même chose, pour ne rien avoir. D'abord un amateur se procure les gazettes, qui ne tardent pas à reparaître dans *Le Mercure** ; peu après, elles forment des corps d'histoire, qui subissent à leur tour d'autres métamorphoses ; ils deviennent des dictionnaires, des histoires de sièges, de batailles, de traités, de négociations, des portraits, des vies de grands hommes. Ils se transforment même en recueils d'anecdotes. Quand on a imprimé, réimprimé tout cela jusqu'à la satiété, on met ces histoires en estampes, au bas desquelles sont des notices au burin. On croirait

---

* De *Mercure galant*, l'illustre gazette fondée en 1672 par Donneau de Visé devint en 1724 *Le Mercure de France*. Le libraire Charles Joseph Panckoucke, qui avait obtenu en 1778 le monopole des journaux politiques français, le racheta pour en développer les rubriques et y incorporer divers périodiques. Les tirages atteignirent ainsi près de vingt mille exemplaires dans les années 1779-1784.

que tout est fini ; point du tout : elles reparaissent encore sous la forme de voyages, d'éloges ; tantôt c'est *Le Plutarque français**, tantôt ce sont des lettres, tantôt des mémoires, et dans le vrai, les mêmes faits présentés dans un cadre différent, même marche en littérature, mêmes opérations typographiques. Les poésies légères embellissent les feuilles périodiques ; elles forment ensuite des almanachs des muses, des étrennes lyriques, des recueils qui deviennent des annales poétiques, des bibliothèques.

Après un certain temps, chaque poète reprend son bien, ramasse dans une édition ses œuvres morcelées et disséminées dans ces divers dépôts, et se donne tout entier au public. Parcourez tous les genres, vous trouverez les mêmes générations. Les factums deviennent des causes célèbres ; les causes célèbres, des histoires de tribunaux ; les fabliaux se changent en contes, les contes en comédies ; les comédies en opéras, les opéras en parodies. Dans la métaphysique et la morale c'est bien autre chose :

---

* *La France illustre ou le Plutarque français, contenant l'histoire ou éloge historique des ministres, des généraux et des magistrats*, par François Henri Turpin (1709-1799), qui fut proche d'Helvétius. Ses travaux parurent en fascicules à partir de 1775, puis en volumes (cinq de 1777 à 1790).

une vingtaine d'idées sont délayées dans cinquante mille volumes.

Malgré cela, il y a très peu de livres qu'on ne puisse faire acheter et même faire lire. Les journaux, les bureaux d'esprit et les colporteurs donnent à une production quelconque une sorte de vogue. En fait de livres, comme en beaucoup de choses, tout est mode, tout est affaire du moment et des circonstances. Ce n'est point la bonté d'un livre qui le fait jouir de la faveur générale, c'est le genre. On veut aujourd'hui des contes allégoriques qui aient l'air de cacher quelque arrière-malice ; des vers gracieux qui disent des duretés aux femmes à propos de leurs grâces ; des traités politiques pleins d'idées indépendantes et de leçons aux gouverneurs du genre humain ; des épîtres philosophiques dans lesquelles on couronne surtout la liberté de penser ; des poèmes où on peigne la nature, que l'on connaît peu, qu'on ne va pas chercher où elle est, et qu'on aime tant dans les livres ; des voyages un peu romanesques.

On croirait que tous ces livres généralement recherchés sont vendus exclusivement. Oh ! que non ! Leur débit est peu de chose en comparaison de certains autres. Il y a en Allemagne des livres de prières dont on débite annuellement vingt mille exemplaires ; on a vendu cinquante-quatre mille *Comptes rendus* *, quatre mille exemplaires de la *Vie privée de Louis XV* **, quoique défendue, fort chère et très mauvaise. À côté de cela, l'*Histoire philosophique* de M. l'abbé Raynal*** est demeurée pendant deux ans non seulement indifférente aux amateurs, mais même absolument inconnue ; elle attendait à Bordeaux un moment de faveur, loin de prétendre à l'enthousiasme qu'elle a excité depuis. L'ouvrage de Voltaire qui a fait la moins grande sensation est celui des

---

* Jacques Necker (1732-1804), directeur général des Finances (et père de Mme de Staël), publia en février 1781 son *Compte rendu au Roi*, premier ouvrage offrant au public l'état des recettes et des dépenses du royaume. Ce document connut en effet un grand succès de librairie mais déplut à la Cour, et Necker finit par démissionner en mai, n'ayant pu obtenir d'entrer au Conseil du roi.

** *Vie privée de Louis XV ou Principaux Événements, particularités et anecdotes de son règne* (Londres, 1781), par Barthélemy François Joseph Mouffle d'Angerville (1729 ?-1794 ?), qui fut avocat au parlement de Paris.

*** L'abbé Guillaume Thomas François Raynal (1713-1796) avait quitté les ordres pour se consacrer aux travaux philosophiques et historiques. Sa grande œuvre, anticléricale et anticolonialiste, est précisément cette *Histoire philosophique et politique des établissements et du commerce des Européens dans les deux Indes*, publiée clandestinement en 1770. Le parlement de Paris ordonna en 1781 que l'ouvrage soit brûlé par la main du bourreau, et Raynal trouva refuge auprès de Frédéric II puis de Catherine II.

Questions sur l'Encyclopédie*. Parmi les nouvelles pièces de théâtre, celles qui ont le plus approché du succès de *Janot* et de *Jérôme Pointu* sont *Le Siège de Calais* et *Les Philosophes*** ; il en a cependant paru bien d'autres qui auraient pu mériter d'aussi justes applaudissements. La raison et le goût, indépendants des journaux, des bureaux d'esprit et des colporteurs, peuvent seuls étendre et perpétuer la célébrité d'un ouvrage, et forcer tôt ou tard le public à l'apprécier à sa juste valeur.

---

* Neuf volumes de 1770 à 1772, œuvre colossale et dernier grand chantier de Voltaire.

** *Janot ou Les battus paient l'amende*, « comédie-proverbe » en un acte du dramaturge et comédien Dorvigny, de son vrai nom Louis François Archambault (1742-1812) : cette pièce créée le 7 juin 1779 au théâtre des Variétés amusantes fut un triomphe, surtout grâce à l'interprétation de l'acteur comique Volange.

Jérôme Pointu fut aussi créé au théâtre des Variétés amusantes (13 juin 1781) : cette comédie en un acte a pour auteur le très fécond Beaunoir, de son vrai nom Alexandre Louis Bertrand Robineau (1746-1823), qui signait parfois « Mme de Beaunoir » (à moins que son épouse ait réellement écrit certaines des dizaines de pièces attribuées au dramaturge).

Le Siège de Calais, « pièce patriotique » de Pierre Laurent Buirette, dit Dormont de Belloy (1727-1775), n'était pas une nouveauté : il avait été créé à la Comédie-Française le 13 février 1765 et avait connu un grand succès deux ans après la fin de la guerre de Sept Ans ; il fut redonné dix-huit fois entre 1781 et 1790.

Les amateurs des livres ont tous des goûts différents ; les uns ont des bibliothèques nombreuses, d'autres en ont de bien choisies. J'en ai connu un dont tous les livres, proprement reliés, n'étaient jamais ouverts ; il avait une seconde collection qui servait à ses études. La première était formée avec tant de soin qu'il achetait souvent plusieurs exemplaires d'un même volume pour en composer un seul, c'est-à-dire qu'il supprimait les feuilles un peu noires ou mal tirées pour en substituer de plus pures, qu'il prenait dans les autres exemplaires. J'en ai connu un second qui avait au moins dix mille volumes très bien choisis, mais qu'il ne lisait jamais, pour ne pas occasionner dans les rayons des vides qui favorisent le vol très usité dans cette partie. Un troisième a acheté en sa vie la valeur de trois bibliothèques, dont il ne lui reste pas cinquante volumes ; il ne les a jamais eus que pour les prêter.

Les Philosophes, comédie de Charles Palissot de Montenoy (1730-1814), avaient également été créés à la Comédie-Française (2 mai 1760) : l'auteur s'y moquait des Encyclopédistes en s'inspirant des *Femmes savantes* ; remontée en 1782 et donnée onze fois jusqu'en 1784, ladite comédie ne reçut pas un aussi bon accueil qu'en 1760... Mais il se peut que Peyssonnel ne songe pas à des reprises (on disait alors « remises ») quand il parle de « pièces nouvelles » : il compare des œuvres qui lui sont contemporaines, évoque des succès à la création.

Il existe maintenant un homme assez savant et de beaucoup d'esprit, vivant à la campagne, qui a ses livres distribués dans toute sa maison : tout ce qui tient à l'économie rurale est dans son cabinet ; les pièces de théâtre et les poésies sont dans les chambres destinées aux étrangers ; les romans et les contes dans le boudoir de sa femme ; les critiques et les journaux dans les cabinets de garde-robe ; et les livres qui traitent de la cuisine et du régime diététique dans la cuisine et dans l'office. Un des plus grands souverains de l'Europe, protecteur décidé des lettres, ignore sûrement que sa bibliothèque est entassée dans des chambres, et que lorsque l'on veut un livre il faut en examiner au moins deux cents avant de le trouver.

La manie des belles éditions est plus forte que jamais. Il faut convenir que ce n'est pas une chimère ; les yeux se fatiguent moins, le texte est plus soigné, on suit plus facilement un auteur. Mais ce qui est très inutile, ce sont les gravures, si ce n'est dans les livres de voyages où elles sont presque indispensables. On en a fait dans ces derniers temps un abus bien dispendieux.

On a imaginé depuis quelques années de mettre presque toutes les connaissances humaines en dictionnaires et en almanachs, et de rendre ces compilations portatives. Cette méthode, quoique ingénieuse, doit contribuer à rendre les amateurs paresseux, et à diminuer l'ardeur pour l'étude. La commodité de pouvoir trouver dans un instant tout ce qu'on a besoin de savoir fait qu'on se dispense de l'apprendre. On ne se donne pas la peine de mettre dans sa tête ce qu'on peut mettre dans sa poche.

De quelle utilité, de quelle ressource ne seraient pas les bons livres aux hommes qui se consacrent à l'administration, s'ils voulaient et savaient s'en servir, s'ils voulaient prendre, non pas sur les affaires de l'État, mais sur leurs intrigues et leurs plaisirs le temps de les lire ? Ils y trouveraient ce qu'on pense d'eux en lisant ce qu'on a dit de leurs prédécesseurs ; ils apprendraient ce qu'ils doivent faire pour illustrer leurs places et les personnes ; ce qu'ils doivent espérer de leurs rois, de leur patrie, de leur siècle, du temps ; ils connaîtraient les hommes, les événements, les pays, enfin toutes les choses avec le secours desquelles un homme en place peut devenir un homme utile, s'il n'a que des talents médiocres, et un grand homme, s'il est né avec du génie.

Les hommes ont tant de vanité que je ne conçois pas comment ils aiment mieux se laisser endoctriner et conduire par des hommes plutôt que par des livres ; et comment ils ne préfèrent pas de choisir des précepteurs vis-à-vis desquels ils n'aient pas à rougir.

Des désirs immodérés

Je suis marié, je n'ai jamais eu d'enfants, je ne suis point jaloux de ceux qui en ont et j'aime beaucoup ceux des autres*. Une dame qui occupe un appartement vis-à-vis du mien a un charmant petit enfant de deux ans avec lequel je m'amuse quelquefois à jouer pendant des heures entières. Nous sommes amis intimes. J'ai toujours pour lui dans mon secrétaire des bonbons et des gimblettes**. J'ai su si bien me mettre à sa portée qu'il croit que je n'ai que deux ans et joue aussi librement avec moi qu'avec son contemporain.

Il y a quelques jours, étant chez moi occupé à écrire, j'entendis tout à coup mon petit ami

---

* Charles de Peyssonnel avait épousé, le 9 septembre 1765, Thérèse Marguerite d'Albert dont, en effet, il n'eut pas d'enfants.

** « Petite pâtisserie dure et sèche faite en forme d'anneau. » (*Dictionnaire de l'Académie française*, 4ᵉ édition, 1762.)

pleurer et jeter des cris horribles. Je courus à lui, armé d'un cornet de bonbons pour tâcher de le consoler et de dissiper son chagrin par mes caresses. Je lui présentai mon cornet, il le jeta à terre avec rage en redoublant de hurlements, et criant sans cesse : « Grand dada ! » Je demandai à la mère si son enfant était malade, s'il souffrait, s'il faisait des dents. Elle me répondit qu'il n'y avait pas un mot de tout cela, mais qu'elle l'avait mené le matin avec elle en voiture au faubourg Saint-Germain, qu'en passant sur le Pont-Neuf il avait vu par la portière la statue équestre de Henri IV, qu'il appelait « le grand dada », et que dès cet instant il n'avait cessé de pleurer et de crier pour l'avoir.

Me voyant dans l'impossibilité de donner à mon petit ami ce joujou-là pour sécher ses larmes, je le quittai, je l'abandonnai à regret à son désespoir, et rentrai dans ma chambre en faisant des réflexions sur la folie de certains hommes qui se regardent comme souverainement infortunés de ne pouvoir pas posséder ce qui leur est absolument impossible d'obtenir.

La fable nous apprend que Pygmalion serait mort de chagrin si une divinité compatissante n'était venue à son secours et n'avait animé la statue dont il était devenu amoureux. Nous avons vu un petit particulier mourir d'amour pour une grande princesse. La vie d'un grand homme a été empoisonnée par le désespoir de ne pouvoir devenir un législateur fameux. Un financier célèbre qui s'était blasé de bonne heure sur tous les plaisirs de la vie a fini par mourir de désespoir de n'être pas né gentilhomme ; il est mort de roture, maladie bizarre que les généalogistes, dit-on, savent guérir, mais pour laquelle les médecins n'ont encore trouvé aucun remède.

Combien d'hommes illustres se sont rendus malheureux toute leur vie par des désirs immodérés ! Le dénombrement en serait fastidieux. Tous les gens de cette espèce ne sont-ils pas de grands enfants qui, comme mon petit voisin, se désolent de ce qu'on ne veut pas leur donner le cheval de bronze ?

Des divers bâtiments

Lorsque le tsar Pierre le Grand vint à Paris, quelqu'un lui demanda comment il trouvait cette capitale ? Il répondit que s'il en avait une pareille, il serait presque tenté d'y mettre le feu, de peur qu'elle n'absorbât son empire ; et Paris est augmenté d'un tiers depuis Pierre le Grand. Ce prince pensait sans doute, comme bien des gens, qu'une trop grande capitale est un gouffre où tout reflue, et qui engloutit tout ; il la regardait comme une manière de vampire qui suce et exténue les provinces, comme le foyer du luxe et de la corruption des mœurs, et par conséquent comme une des causes de la décadence d'une monarchie.

Il est en politique un axiome incontestable et généralement reçu que l'État le plus heureux n'est pas celui qui est le plus riche, mais celui où les richesses sont le mieux distribuées, et que l'activité de la circulation du numéraire peut seule établir cette distribution équitable qui fait le bonheur de la société. L'argent doit être regardé comme le sang de l'État. Le corps politique commence à languir, sa constitution s'altère, quand l'argent passe des provinces à la capitale. Tout est perdu dès qu'il passe de la capitale à la Cour : c'est le reflux et l'engorgement du sang dans la tête ; l'apoplexie est infaillible.

Une trop grande capitale serait donc infiniment nuisible à l'État si la circulation du numéraire venait à s'y concentrer, et si elle en regorgeait lorsque les provinces en seraient dépourvues. Mais on oppose à cela que les deux États les plus florissants de l'Europe, la France et l'Angleterre, ont les deux plus grandes capitales de cette partie du monde, et que ces deux immenses villes, bien loin d'absorber la substance des provinces, les enrichissent et les font prospérer, qu'elles sont le centre des arts, le magasin de toutes les connaissances, le berceau de toutes les découvertes et de tous les projets utiles qui répandent dans les provinces l'abondance et la prospérité. Il faut observer cependant que Paris, quant à ce point, ne peut pas être mis en comparaison avec Londres, que la navigabilité de la Tamise a rendu une ville maritime, où le commerce et la navigation donnent à la circulation du numéraire une activité dont Paris n'est pas susceptible. La discussion d'une question aussi importante mènerait fort loin. Il y aurait trop de choses à dire pour et contre, et j'y renonce.

Mais ce qu'il y a de certain, c'est que dans le moment où j'écris on compte dans Paris environ trente-quatre mille écriteaux de maisons ou d'appartements à louer ; ce qui prouve sans réplique que cette ville est déjà trop étendue en raison de sa population, et que le nombre de logements y excède de beaucoup celui des habi-tants. Les maisons des Quinze-Vingts, celles qui entourent la nouvelle Comédie-Italienne n'ont encore pour locataires que des filles. Les aug-mentations immenses des faubourgs sont presque désertes.

Malgré cela la passion du bâtiment possède tous les capitalistes. On ne cesse de bâtir, et toujours assez mal ; l'intérêt aveugle. On ne s'occupe que des moyens de tirer tous les avan-tages possibles d'une spéculation souvent mal combinée, et l'on ne donne rien à l'embellisse-ment de la ville ni à la commodité des citoyens.

On a abattu l'église des Quinze-Vingts pour percer la rue de Rohan, qui est une prolonga-tion de celle de Richelieu, la plus belle de Paris, et l'on a eu l'adresse de la faire plus étroite et tortue, ce qui présente une révoltante diffor-mité. On a si bien arrangé celles qui conduisent au nouveau Théâtre-Italien qu'il n'y en a aucune en face de l'édifice, et que de quelque endroit qu'on y arrive on ne peut voir la colonnade que par côté. Toutes les maisons qui bordent ces nouvelles rues sont d'une hauteur énorme qui y gêne le courant de l'air, empêche les rayons du soleil d'y pénétrer jamais, et y entretient sans cesse une humidité nuisible qui les rend malpropres et malsaines.

Le Roi bienfaisant par lequel nous avons le bonheur d'être gouvernés, frappé sans doute de tous les défauts de la capitale, vient de publier un édit sage et utile qui fera certainement de Paris une ville superbe, salubre et commode en lui donnant des rues plus larges et des maisons plus basses, plus régulières, plus solides et plus agréables*. Mais malheureusement il faut huit ou dix siècles pour que les générations futures puissent recueillir le fruit de ses vues paternelles, duquel il n'est pas en son pouvoir de faire jouir ses contemporains.

Le luxe des logements en a remplacé plusieurs autres : on est aujourd'hui vêtu très modestement ; les voitures sont on ne peut plus

---

* La déclaration royale du 10 avril 1783 imposait en effet un rapport entre la hauteur des maisons et la largeur des rues. Celle du 8 juillet 1783 exigeait que les rues nouvelles aient au moins une largeur de 30 pieds (près de 10 mètres).

simples ; mais on veut être magnifiquement logé, souvent fort au-dessus de sa condition, quelquefois même ridiculement et indécemment, en raison du rang que l'on occupe dans le monde. C'est moins par raison de commodité et d'agrément que par raison de faste, et pour relever la dignité de son état. Ce vertige a gagné même toutes les régies* : elles ne devaient avoir et n'avaient autrefois que des bureaux, elles ont aujourd'hui des hôtels. C'est l'hôtel des Fermes, l'hôtel des Postes, l'hôtel des Domaines, l'hôtel de la Régie, l'hôtel de la Recette ; que dis-je ? l'hôtel des Messageries, l'hôtel du Roulage. Une compagnie qui se charge de toutes les commissions de gens qui n'ont point de correspondants à Paris a mis en grandes lettres d'or sur la porte de la maison qu'elle occupe dans la rue neuve Saint-Augustin : HÔTEL DE LA CORRESPONDANCE GÉNÉRALE, NATIONALE ET ÉTRANGÈRE.

La vanité tourne aujourd'hui toutes les têtes. On n'ose presque plus se faire annoncer en bonne maison sans un titre de marquis, de baron ou de comte. Des décrotteurs et des

---

* « Mode de lever les impôts dans lequel l'État les perçoit directement pour son compte par ses agents ; il se dit par opposition à la levée des impôts par traitants, où les fermiers, payant à l'État une somme convenue, gardent le reste pour eux. » (Émile Littré, *Dictionnaire de la langue française*, 1863-1877.) Pour les impôts indirects, voir note de la p. 100 sur la Ferme générale.

tondeurs de chiens ont des enseignes sur le Pont-Neuf. Un homme qui rôtit des marrons à côté du petit passage du Palais-Royal a une grande enseigne, et si cet homme fait fortune, comme il n'y a pas lieu d'en douter, et donne plus d'extension à son commerce, il se logera convenablement, et je ne désespère pas de voir un jour en lettres d'or sur sa porte : HÔTEL DE LA RÔTISSERIE DES MARRONS.

L'aimable auteur du *Petit Tableau de Paris** dit, comme moi, que Paris est trop grand, et que dans cinquante ans on n'ira plus dans cette

---

* Ne pas confondre avec le célèbre *Tableau de Paris* de Louis Sébastien Mercier (1781-1788). Il s'agit ici d'un petit livre publié anonymement en 1783 et dont les titres de chapitres évoquent en effet les thèmes traités par Peyssonnel (« L'immensité de Paris », certes, mais aussi « Les grands seigneurs », « Les filles » ou encore « La fortune des financiers »). Il est souvent attribué à Claude Carloman de Rulhière (1735-1791), qui fut diplomate et historien comme Peyssonnel, mais aussi poète et membre de l'Académie française à partir de 1787 (auteur d'une *Histoire de l'anarchie de Pologne*).

Cependant, il n'est pas impossible que *Le Petit Tableau de Paris* soit l'œuvre d'un autre personnage singulier, Jean Pierre Louis de La Roche du Maine, marquis de Luchet (1739-1792). Après qu'il eut échoué dans l'exploitation de mines, Voltaire le fit nommer bibliothécaire du landgrave de Hesse-Cassel, qui lui confia la direction de son théâtre français. Passé au service du prince Henri de Prusse, Luchet rentra en France en 1788 et publia l'année suivante avec Rivarol, Mirabeau et Laclos la *Galerie des états généraux*. On retrouve précisément son style mordant dans des écrits

158

capitale qu'à cheval ou en voiture ; mais il prévoit que plus il y aura de maisons, moins il y aura d'habitants, parce que la population est toujours en raison de l'aisance, et que plus le luxe élèvera et embellira les demeures, moins il y aura de richesses. Il ajoute cette réflexion qu'un million placé dans le commerce ou dans l'agriculture augmente sans cesse, et qu'un million employé en constructions perd toutes les années un centième de sa valeur.

Si la prophétie de cet écrivain se réalise, on verra Paris diminuer insensiblement à force de s'agrandir, et ce sera le mal même qui aura fourni son remède.

---

sur Paris tels que son poème sur les prostituées, *Les Nymphes de la Seine* (1763), ou son *Journal des gens du monde* (1782-1785).

[De la semaine sainte à Longchamp]

Il y a très longtemps qu'une actrice célèbre de l'Opéra de Paris se convertit sincèrement, renonça au monde pour embrasser la vie monastique, et se fit religieuse au couvent des Cordelières de Longchamp*. Les amateurs de son talent et de sa personne continuèrent d'aller entendre au chœur cette voix qui les avait si enchantés au théâtre ; plusieurs personnes de distinction y couraient dans les trois jours d'offices de la semaine sainte : les jérémies, les

---

* Catherine Le Maure (1704-1787) – « une des plus belles voix qu'on ait jamais entendues », notait Edmond Jean François Barbier en mars 1735 (*Chronique de la Régence et du règne de Louis XV*, Paris, Charpentier, 1857-1866) – avait débuté comme soliste en 1721 dans *Phaéton* de Lully et menait une vie scandaleuse. En 1727, elle se retira en effet au couvent de Longchamp (qui occupait l'emplacement de l'actuel hippodrome et sera démoli en 1795), mais dès 1730 elle reprit sa carrière de soprano et chanta régulièrement jusqu'en 1743.

leçons, le Miserere, chantés aux ténèbres* par cet organe ravissant, leur faisaient le même plaisir que les récitatifs les plus tendres, les plus charmantes ariettes au plus brillant des spectacles. Les Dames de Longchamp qui virent leur église s'achalander se procurèrent de belles voix, un bon orchestre, et donnaient tous les ans dans ces saints jours une excellente musique qui attira d'abord concours, insensiblement foule, et enfin cohue. Cette assemblée de fidèles devint bientôt tumultueuse et indécente ; les irrévérences que les femmes galantes, les filles, les petits-maîtres, les jeunes gens y commettaient sans cesse forcèrent ces bonnes religieuses de fermer leur porte et de chanter leurs offices à huis clos**.

Malgré la clôture de l'église, on n'a pas discontinué d'aller à Longchamp, on a renoncé

---

* En principe, offices de matines et laudes des jeudi, vendredi et samedi saints au cours desquels les cierges de l'autel s'éteignaient l'un après l'autre tandis que l'on chantait les Lamentations du prophète Jérémie pleurant la destruction du Temple de Jérusalem (on employait parfois, comme le fait Peyssonnel, le féminin pluriel « jérémies »). Sous le règne de Louis XIV, ces offices avaient été déplacés aux après-midi des mercredi, jeudi et vendredi saints. Les *Leçons de ténèbres* ont fait l'objet de compositions admirables, dont celles de Charpentier et Couperin.

** En réalité, c'est Mgr Christophe de Beaumont, archevêque de Paris, qui interdit l'abbaye au public.

aux offices mais non pas à la promenade ; il me semble même que l'affluence augmente tous les ans. Les gens à grandes prétentions, les petits-maîtres, les élégantes, les femmes publiques préparent longtemps à l'avance des voitures brillantes, des attelages distingués, des habits, des robes, des chapeaux, des chiffons. Pendant l'après-midi des trois jours, tous les carrosses bourgeois, tous les carrosses de remise, acca-parés plusieurs jours à l'avance, toutes les calè-ches, tous les fiacres, tous les cabriolets, tous les chevaux, toutes les rosses sont sur le chemin de Longchamp ; tous les gens qui ont la faculté et la volonté de marcher sont dans les allées des Champs-Élysées et du bois de Boulogne. Les gens à pied examinent et critiquent les gens en voiture ; ceux-ci lâchent leurs quolibets sur les piétons ; ils s'amusent tous réciproquement les uns aux dépens des autres.

J'observe depuis quelques années une prodi-gieuse diminution du luxe des voitures qui rend ce spectacle beaucoup moins piquant qu'autre-fois. Je ne vois plus d'élégance, plus de recherche, plus de variété dans les formes, la peinture, la décoration des carrosses ; toutes les berlines, les diligences, les vis-à-vis, les cabrio-lets se ressemblent et ne diffèrent que par les couleurs ; mais cela est bien racheté à mes yeux par d'autres objets qui m'amusent on ne peut davantage. J'aime à voir ces nouveaux cabriolets à l'anglaise, d'une hauteur immense, entièrement découverts, et où le malheureux jacquet* qui est derrière, forcé de se cramponner à la caisse, fournit toute la course dans la posture d'un homme à la garde-robe**. J'ai le plus grand plaisir à contempler ces ridicules copies des cavalcades anglaises exécutées par de jeunes écervelés dans le costume anglais, s'agitant comme des énergumènes des bras, des reins, des fesses, des cuisses, s'efforçant de mettre et de soutenir leurs haridelles à l'amble et à l'entre-pas, mouvements irréguliers, contre nature et capables de ruiner en peu de temps le meilleur cheval.

Cette nouveauté a l'air de la parodie de quelques gens de bon sens qui se montrent encore par une vieille habitude à cette promenade sur des chevaux bien dressés qu'ils manient suivant les vrais principes et le bon genre d'équitation. Mais ce qui me divertit le plus, ce sont les jeunes gens qui, n'ayant pas eu un écu de six francs pour louer une rosse, vont à pied, en habit de cheval, en bottes, et un fouet à la main pour

---

* Diminutif de Jacques désignant un domestique, un laquais.

** « Le lieu où l'on met la chaise percée. [...] On dit "aller à la garde-robe" pour dire "se décharger le ventre". » (*Dictionnaire de l'Académie française*, 4ᵉ édition, 1762.)

avoir l'air d'avoir mis pied à terre ou d'aller chercher leur cheval qui les attend quelque part.

Entre six et sept heures du soir, chacun prend son parti, les gens du bon ton vont, par air, bâiller au concert spirituel. Les bourgeois achèvent leur soirée aux Tuileries et retournent chez eux, étranglés et couverts de poussière, distribuer à leurs enfants les petits gâteaux, les pains d'épices, les croquignoles qu'ils ont achetés aux Champs-Élysées. Au bout de tout cela, les citoyens du haut et du moyen ordre se trouvent avoir évité l'ennui des offices ; et dans les trois jours où l'on célèbre les mystères les plus saints de la religion dominante, on ne voit dans les églises que le bas peuple.

Qu'on me répète à présent ce vieux proverbe latin : *Sublata causa tollitur effectus**. Il faut venir à Paris pour en reconnaître la fausseté : c'est ici où l'on voit tous les jours des effets sans causes. Depuis vingt ans il n'y a plus de ténèbres à Longchamp, mais ce bizarre pèlerinage ne va pas moins son train, et ne durera pas moins aussi longtemps que la monarchie**...

---

* Cet aphorisme qu'on retrouve chez Descartes peut se traduire ainsi : « La cause supprimée, l'effet disparaît. »

** Suivent, aux pages 83-87 du n° 52 (*Les Numéros*, Quatrième Partie, 3ᵉ édition, 1784), des considérations sur la Comédie-Italienne, dont ni les comédiens ni les productions n'ont quoi que ce soit d'italien.

Des convives

On a remarqué de tout temps dans les ports de mer que, lorsque l'on arme un navire, les rats qui se destinent à faire la campagne s'embarquent par le câble le jour où l'on embarque les vivres, et se débarquent de même au retour du voyage le jour où l'on enlève du bord le reste des provisions. Les gens qui donnent à manger à Paris sont des espèces d'armateurs qui éprouvent à peu près la même chose de la part de leurs convives, qu'on peut comparer aux rats de l'armement. Dans cette grande capitale, tous les gens opulents, et qui ont ce que l'on appelle une maison montée, désignent des jours fixes où ils donnent à dîner et à souper, et ferment assez communément leur porte tout le reste de la semaine. Ces restaurateurs gratuits sont peu attachés à leurs pratiques habituées et assez indifférents sur le choix : toutes les personnes présentées chez eux peuvent y aller quand bon leur semble ; pourvu que leur dîner ou leur souper soit mangé, ils sont contents, et leur objet est rempli dès que le nombre de leurs couverts est occupé.

On est étonné d'entendre souvent une maîtresse de maison déchirer impitoyablement quelqu'un avec qui on a dîné ou soupé chez elle peu de jours auparavant. Ce quelqu'un paraît dans le moment où il est question de lui : on est bien plus surpris de voir cette même maîtresse de maison qui vient d'en parler comme d'un personnage ennuyeux et maussade l'accueillir avec le même empressement, lui faire les mêmes honnêtetés, lui marquer les mêmes égards qu'aux personnes qui semblent lui être les plus agréables. Il est assez mortifiant pour des gens qui mettent du leur dans la société, et qui ont de quoi faire rechercher leur commerce, de se voir traiter au pair des plus indifférents et de ne pas apercevoir la plus légère nuance de distinction.

Mais aussi il faut être de bon compte, et avouer que ces maîtres de maison éprouvent de la part de leurs commensaux un parfait retour d'indifférence. Comme ils ne donnent communément à manger que par ostentation ou pour se conformer à un usage reçu, on va plutôt chez eux pour leur table que pour leur société ; et si quelque raison particulière les met dans le cas de supprimer cet objet de dépense, ils sont entièrement abandonnés par leurs convives les plus assidus : les rats se débarquent dès qu'il n'y a plus de vivres dans le navire. Je demandai il y a quelque temps à un homme très connu dans ce pays-ci pourquoi il ne voyait plus un de nos amis communs ?

« Il n'a plus de table », me répondit-il du même ton qu'il aurait pu me dire : « Il est mort. »

Cet homme avait cessé d'exister pour lui dès qu'il avait retranché ses festins. Il était mort, non de la mort physique ni civile, mais de la mort mentale.

Ne vaudrait-il pas bien mieux pour ces honnêtes gens qu'au lieu de faire une ou deux fois par semaine une immense dépense pour avoir une foule de convives sans choix, presque toujours les premiers venus, ils rassemblassent un petit nombre d'amis d'élection qui viendraient dîner ou souper avec eux pour eux-mêmes, et leur formeraient une société agréable et sûre au sein de laquelle ils goûteraient les douceurs de la cordialité et de l'amitié ? Il arrive au contraire que l'ennui les poursuit sans cesse au sein de leurs tumultueuses assemblées ; le luxe et la bonne chère prodigués avec cette indifférente universalité leur attirent le monde, et ne leur attachent qui que ce soit. Après avoir follement dépensé dans le cours de leur vie des sommes qui auraient pu faire la fortune d'une foule de malheureux, ils meurent sans être regrettés de personne, et si quelques friands ou quelques gourmands s'avisent de pleurer leur perte, toutes ces larmes se répandent sur leur cuisine et sur leur cave ; on n'en voit pas couler une seule sur leur tombeau.

J'observe avec étonnement à quel point la gourmandise a repris depuis quelque temps dans la bonne compagnie. On voit beaucoup de gens regarder leur menu comme une importante affaire, le dicter eux-mêmes, faire pour cela tous les jours un travail sérieux avec leur maître d'hôtel ; raconter avec complaisance en société les détails d'un bon repas qu'ils ont donné ou reçu, et faire leur unique occupation d'avoir bonne chère chez eux, et de la trouver chez les autres. Si les gens du bon ton avaient un estomac, ce goût ferait encore des progrès bien plus rapides.

La gourmandise avait fait autrefois de la vieille maréchale de *** une très savante géographe ; il n'y avait pas sur le globe une ville, un bourg, un village, dont le territoire produisît quelque chose de recherché en mangeaille ou en boisson, dont elle ne fût en état de déterminer la position topographique, la longitude et la latitude. Elle faisait travailler sur ses mémoires à un atlas du gourmand ; mais la mort la surprit avant que cet important ouvrage fût terminé.

Je me souviens toujours avec plaisir d'un trait de gourmandise dont j'ai été témoin. Un vieux seigneur hongrois nommé le baron Zay, qui avait pendant de longues années versé son sang et dissipé sa fortune pour la cause de la malheureuse famille Ragotzki*, que la Porte avait tenté plusieurs fois de remettre en possession de la Transylvanie, et dont elle ne manquait pas de montrer toujours à l'Autriche un rejeton comme un prétendant dont elle faisait revivre les droits au commencement de chaque guerre ; ce baron avait fini par suivre le sort du dernier Ragotzki et venir avec lui à Rodosto partager les libéralités du sultan. Il passait sa vie à Constantinople, où l'excellente chère qu'il trouvait chez les ministres étrangers et les vins délicieux dans lesquels il noyait ses chagrins lui faisaient oublier toutes ses infortunes. Il était plein de courage, de noblesse et de candeur, mais de la plus profonde ignorance. Le baron Zay et un livre étaient deux êtres qui de mémoire d'homme ne s'étaient jamais rencontrés.

Le feu comte des Alleurs**, alors ambassadeur à Constantinople, allant un jour au village

---

* C'est-à-dire les Rákóczy, d'origine hongroise.

** Deux comtes Puchot des Alleurs avaient été ambassadeurs auprès de la Sublime Porte : Pierre, de 1711 à 1716,

171

de Belgrade où il avait sa maison de campagne et traversant la forêt de ce nom, aperçoit dans un lieu reculé du bois un homme assis lisant et paraissant absorbé dans la plus profonde méditation. Il reconnaît le baron, descend de voiture, court à lui, et lui demande quel objet avait pu le porter à se recueillir et à venir méditer dans ce lieu solitaire et sombre ?

« Un ami, lui répondit-il, m'avait donné autrefois à Paris une délicieuse manière d'accommoder les champignons ; j'ai perdu la recette et je parcours ici attentivement *Le Cuisinier français** pour tâcher de la retrouver. »

Cette singularité racontée par le comte des Alleurs avec ces grâces et cet agrément qu'il savait répandre dans toutes ses narrations amusa infiniment toute la société.

---

et son fils Roland, de 1747 à sa mort en 1754. Le père de Peyssonnel avait brièvement succédé à ce dernier, assurant l'intérim avant l'arrivée du nouvel ambassadeur, Vergennes. Roland Puchot des Alleurs avait succombé à l'âge de soixante ans après avoir été ruiné par le train de vie de son épouse.

* François Pierre de La Varenne (1618-1678), écuyer de cuisine au service du marquis d'Uxelles, est l'auteur du *Cuisinier français*, paru en 1651 et constamment réédité jusqu'au début du XIXe siècle avec divers sous-titres. Ce grand classique, qui rompt avec la cuisine épicée du Moyen Âge et de la Renaissance, accorde une grande place aux légumes, méprisés auparavant, et décrit comment « les accommoder avec honneur et contentement ».

De l'amour des lettres

Toutes les passions, tous les goûts dont le cœur de l'homme est susceptible ont leur âge et leur terme ; ils procurent des plaisirs passagers, mêlés de peines, accompagnés de dégoûts, et souvent suivis d'amertume. La guerre, la chasse, l'amour n'ont qu'un temps ; la moisson des lauriers de Mars et des myrtes de Vénus n'a qu'une saison.

L'amour des lettres s'assortit à tous les âges, à tous les états, à toutes les conditions, à tous les caractères. Bien différent des autres, plus on s'y livre, et plus on en goûte les douceurs. La variété piquante des plaisirs qu'il offre prévient les dégoûts de la satiété ; il instruit l'enfant, éclaire l'homme, console le vieillard ; on le voit souvent calmer les douleurs du malade, dissiper les langueurs du valétudinaire. Il fournit à l'homme du monde de quoi briller dans les cercles, à l'homme retiré de quoi chasser l'ennui de sa solitude ; le riche en fait un capital d'amusement, le pauvre, un moyen d'existence. On peut même compter dans les fastes de la littérature une foule de lettrés auxquels les lettres ont ouvert le chemin de la fortune.

L'amour des lettres n'est point semblable à ces autres passions qui occupent l'homme tout entier et ne souffrent point de rivales. Il se marie avec tous les goûts, il s'associe avec toutes les occupations. Alexandre, l'homme le plus passionné pour la guerre et le plus grand des conquérants, ne dédaigna pas de cultiver les lettres ; il tenait à côté de son chevet ses armes et le poème d'Homère enfermé dans une cassette d'or. Il reprochait à Aristote d'enseigner à d'autres ce qu'il lui avait promis de ne révéler qu'à lui seul, et paraissait aussi jaloux des sciences qu'il tenait de lui que des royaumes qu'il avait conquis. Marc Aurèle travaillait avec autant de zèle à acquérir la réputation de grand philosophe que celle de grand empereur. Mécène dérobait aux affaires de l'Empire le temps de lire tous les vers qu'on lui présentait. François Ier récompensait avec une égale libéralité la bravoure du chevalier Bayard, les faveurs de la duchesse d'Étampes et le grec d'Amiot. Nous voyons aujourd'hui les lauriers de Mars et ceux d'Apollon réunis sur le front glorieux du grand Frédéric*. Que dis-je ? L'amour des lettres n'a pas dédaigné de se loger quelquefois dans les cœurs les plus corrompus : Néron fut poète, homme de lettres et ami des arts.

L'amour des lettres, enfin, est le magasin et l'aliment de la conversation. Et qu'est-ce que la conversation ? C'est le principal et le plus doux lien de la société ; c'est l'ornement de la beauté chez les femmes, l'annonce de l'esprit et du mérite chez les hommes, la seule ressource et l'unique consolation qui reste aux deux sexes dans l'âge avancé. On ne saurait disconvenir que la lecture et la conversation sont également nécessaires l'une à l'autre et se prêtent un secours mutuel. Converser sans lire, c'est vouloir bâtir sans matériaux ; lire sans converser, c'est amasser sans cesse des matériaux sans jamais bâtir. La lecture nous apprend ce que les auteurs ont pensé ; la conversation nous aide à discerner s'ils ont pensé juste ou s'ils ont donné dans l'erreur. En lisant, on se prévient souvent pour ou contre le livre qu'on lit ; c'est en conversant, en mettant au jour ce qu'on a lu, risquant ses réflexions et les comparant avec celles des autres, qu'on parvient à juger sainement et à tirer de l'étude tout le fruit qu'on en peut espérer.

---

* Le roi de Prusse Frédéric II le Grand (1712-1786).

En un mot, la communication des idées forme les hommes peut-être plus que la lecture, qui doit cependant être la base de la conversation dont l'esprit et l'imagination ne peuvent pas toujours faire les frais. Quelque vive que soit la lumière d'une lampe, elle s'affaiblit peu à peu et ne tarde pas de s'éteindre si on la laisse manquer de matière combustible. Un homme a souvent en lui le germe de divers talents dont il ne se doute pas, et il n'en doit la découverte qu'à l'occasion que les autres lui fournissent de les développer. On est plus d'une fois redevable des idées les plus sublimes à une conversation lumineuse, et la plupart des hommes peuvent être comparés à des pierres à fusil qu'il faut battre pour en tirer du feu*...

---

* Le n° 56 (*Les Numéros*, Quatrième Partie, 3ᵉ édition, 1784) se poursuit aux pages 136-142 avec des réflexions un peu datées sur le rôle des écrivains à la fin du XVIIIᵉ siècle et leur influence sur le despotisme éclairé ; on a pris la liberté de ne retenir ici que les propos sur la lecture et la conversation qui peuvent concerner le lecteur d'aujourd'hui.

Références

N pour *Les Numéros,* « à Amsterdam, et se trouve à Paris, rue et hôtel Serpente [chez Gaspard Joseph Cuchet] », 1782, 1783 et 1784.

A pour *L'Antiradoteur ou le Petit Philosophe moderne,* « à Londres, chez Emsley [Paris, Royez] », 1785.

De Paris : *N,* n° 2, I, p. 19-26 ; *A,* I, p. 1-7 (avec ajout du 1er paragraphe du n° 1).

Des Parisiens : *N,* n° 6, I, p. 68-83 ; *A,* II, p. 8-19.

Des usages nouveaux : *N,* n° 8, I, p. 93-106 ; *A,* III, p. 19-28.

[De la paresse des Français à apprendre les langues étrangères] : *N,* n° 9, I, p. 107-119.

[De la manie de renoncer à l'usage salutaire des jambes] : *N,* n° 10, I, p. 120-128.

Des courtisans : *N,* n° 11, I, p. 129-158 ; *A,* IV, p. 29-51.

De l'attachement pour les chiens : *N,* n° 14, I, p. 172-187 ; *A,* VI, p. 63-74.

[Tableau des femmes du monde divisées par classes] : *N,* n° 15, I, p. 188-214.

[Du luxe, qui a passé des grands aux petits] : *N,* n° 18, II, p. 26-38.

[De la consommation du café] : *N,* n° 22, II, p. 85-90.

[D'un projet contre les outrages faits à la langue française] : *N,* n° 25, II, p. 111-120.

Table

Mise en page
PCA
44400 Rezé

Achevé d'imprimer par Corlet, Imprimeur, S.A. - 14110 Condé-sur-Noireau
N° d'Imprimeur : 107008 - Dépôt légal : septembre 2007 - *Imprimé en France*